LA REINA DE CRISTAL-II

LA REINA DE CRISTAL-II

ANA ALONSO y JAVIER PELEGRÍN

edebé

© Ana Alonso y Javier Pelegrín, 2014
Agencia Literaria Sandra Bruna

© de esta edición: Edebé, 2014
Paseo de San Juan Bosco 62 (08017 Barcelona)
www.edebe.com

Atención al cliente: 902 44 44 41
contacta@edebe.net

Directora de Publicaciones Generales: Reina Duarte
Diseño de la colección: BOOK&LOOK

Primera edición: septiembre 2014

ISBN 978-84-683-1275-0
Depósito Legal: B. 11.150-2014
Impreso en España
Printed in Spain

CAPÍTULO I

—Alteza, despertad. Pronto amanecerá, y hoy tenemos una jornada de viaje muy larga, si queremos llegar a la fortaleza antes de que se haga de noche. Alteza, por favor...

Abro los ojos y me encuentro con los ojos rasgados de Dunia, mi nueva doncella. La luz de las velas se refleja en sus pupilas negras como pozos. Me mira con una media sonrisa ansiosa.

—No me llames Alteza, solo Kira —replico, con la voz aún pastosa de sueño—. No soy una princesa.

—Perdonadme, Alteza, pero Su Majestad el rey Kadar ha ordenado expresamente que os demos el tratamiento de princesa, como a su hermana Moira. No puedo desobedecer sus órdenes.

Capto un destello burlón en los bellos ojos de Dunia. Por supuesto, ella no recibe órdenes mías. Aunque en teoría soy la prometida de su rey, ella sabe, al igual que todos los que me rodean, cuál es mi verdadero lugar en este país: el de una prisionera, el de una esclava... Alguien cuyos deseos no cuentan.

No me importa. Kadar me tiene en sus manos desde que

me perdonó la vida a cambio de que accediera a convertirme en su prometida, es cierto. Puede controlar mis movimientos y mantenerme vigilada las veinticuatro horas del día, pero hay algo que no puede hacer: no puede vigilar mis sentimientos ni forzarme a cambiarlos. No puede obligarme a que le ame, y él lo sabe. Por eso, en medio de tantos espías y carceleros, me siento libre... Más libre, quizá, que nunca antes en mi vida.

Lo sé: es de locos. Estoy en Decia, el país de mis enemigos. Me trajeron aquí como cautiva para impedir que mi pueblo usase mis dones mágicos en la guerra contra los decios. Si no me han matado, es solo porque esperan utilizar esos dones contra mi gente, convertirme en un arma para derrotar a Hydra.

Y lo peor es que todo esto es culpa de Edan, el único hombre del que he estado realmente enamorada. Él me manipuló, utilizó la atracción que existía entre nosotros para arrastrarme hasta Asura y ofrecerme como botín de guerra a su hermano Kadar. ¿Puede existir una humillación mayor?

Debería sentirme moralmente hundida. Cada mañana, al despertar, debería desear la muerte. Pero no quiero morir; no ahora. Estoy empezando a comprender el alcance de mis poderes, y sé que esto solo es el principio.

Los decios han decidido llevarme a cada una de sus fuentes sagradas para intentar liberarlas de la maldición que pesa sobre ellas. Lo que no saben es que, al entrar en contacto con cada una de esas fuentes, mi poder crece. Ocurrió ya en Lugdor; y sé que volverá a ocurrir. Cada una de esas fuentes posee una voz única y secreta, y yo entiendo esa voz, entiendo su idioma, puedo interpretar sus quejas, sus latidos, cada uno de sus débiles murmullos. Para las gentes de Decia yo no soy más que una extranjera de la que desconfían, una prisionera a la que Kadar ha decidido convertir en su reina sin que ellos entiendan del todo los motivos. Para las aguas de Decia, en cambio, soy su libertadora, la persona que puede devolverles el esplendor perdido. Las ocho fuentes son mis aliadas, o lo serán pronto. Con su magia de mi parte, me siento a salvo.

Ni siquiera Kadar podría enfrentarse a todo el poder encerrado en esas fuentes, aunque quisiera. Nadie en este país es consciente del peligro que supone despertar ese poder y ponerlo en manos de una cautiva como yo: una mujer mágica de Hydra...

Están locos. Están ciegos.

Y además, algo me dice que las fuentes no son las únicas que pueden despertar gracias a mis dones. Desde que devolví la salud a las aguas de Lugdor, y después de mi espectáculo en Asura, han empezado a extenderse rumores extraños sobre curaciones mágicas en las aldeas. Gentes que habían vivido toda su vida entre los suyos como apestados, incapaces de hablar, de comunicarse, incluso de recordar, de repente hablan, entienden, recuerdan. Tenían el «mal del mar», una enfermedad de nacimiento que, según parece, se manifiesta en los primeros años de vida con la aparición de algunas zonas escamosas en la piel. Esas manchas de escamas brillantes anuncian otros síntomas: pérdida del habla y del apetito, letargo profundo o incapacidad para conciliar el sueño, delirios y visiones... La enfermedad no es contagiosa, pero genera tal temor que los afectados son rechazados por sus propias familias, y a menudo vagan solitarios por los yermos de Decia hasta que mueren de sed o de hambre.

Pues bien, esos son los enfermos a los que yo he curado en Lugdor. O más bien, lo han hecho las aguas... Apuesto a que, si entienden lo que les ha ocurrido, ellos no me ven como a una enemiga de su pueblo, sino como a una salvadora. Sí: para esas gentes, yo soy la auténtica reina de Decia.

Dunia ignora todo esto, y por eso se permite el lujo de dirigirse siempre a mí en un tono exigente y altivo, a pesar de que supuestamente está aquí para servirme. Me pregunto si Kadar sabe cómo me tratan ella y las otras damas que me han asignado (entre las cuales, por fortuna, ya no se encuentra Ryanna, su antigua amante). Quizá no tenga ni idea de lo que ocurre. O quizá esté al tanto y apruebe la actitud de Dunia y las demás, pensando que contribuirá a bajarme los humos.

Es difícil saber lo que piensa Kadar. No habla mucho de sus sentimientos... Solo lo hace cuando cree que puede resultarle útil para obtener lo que desea.

Mientras me lavo en un barreño de bronce con agua de Lugdor, Dunia rebusca entre la ropa de uno de mis arcones. Hay seis en total, todos llenos de exquisitos vestidos y túnicas. Ocupan un lado entero de la enorme tienda de campaña que me han asignado, una carpa de brillante terciopelo púrpura donde, cada noche, me obligan a instalarme con todas mis pertenencias.

Cuando termino de secarme, dejo que Dunia me ayude a ponerme el vestido que ha elegido para mí. Desde que emprendimos el viaje a la fortaleza de Ayriss, no he escogido ni una sola vez la ropa que me pongo. Dunia lo hace por mí..., aunque, esta vez, su elección consigue sorprenderme.

—¿Por qué esta ropa tan gruesa? —pregunto, volviéndome a mirarla mientras ella abrocha los cierres de la pesada falda de lana azul—. En la carroza de Moira hace mucho calor. ¡Me asfixiaré!

—Es que hoy no vais a viajar en la carroza, Alteza. Su Majestad el rey quiere que cabalguéis a su lado.

No protesto, porque sé que no serviría de nada. El rey sabe que detesto cabalgar. No lo hago bien, y me fatiga mucho. Además, el viento seco de Decia me agrieta la piel y me produce heridas allí donde no tengo más remedio que dejarla expuesta.

A pesar de todo no voy a quejarme. No pienso darle a Kadar la satisfacción de oír mis súplicas... No. Prefiero callar y soportar lo que venga.

Al menos, esperaba poder disfrutar en soledad de mi desayuno, como en las jornadas anteriores. Pero por lo visto hoy todo es distinto. Antes de que me sirvan la jarra de leche y los bollos calientes de cada mañana, la cortina de entrada de la tienda se levanta y en el umbral aparece Kadar. Viene solo... y entra sin esperar a que yo le invite a hacerlo.

—Buenos días, Kira. ¿Lista para partir? Los caballos ya están ensillados. Comeremos algo por el camino. Hoy tenemos una jornada larga, y hay que aprovechar las horas más frescas de la mañana.

Ni siquiera me molesto en contestar. ¿Para qué? Mi opinión no importa, nadie la tiene en cuenta, de modo que me limito a echarme sobre el vestido la capa de viaje y a salir de la tienda detrás de mi prometido.

Un lacayo se adelanta para ayudarme a montar. Kadar lo aparta con un gesto y me alza en volandas por la cintura. Consigo encaramarme a la alta yegua negra y poner los pies en los estribos sin demasiadas dificultades, pero noto ese silencio repentino a mi alrededor que me indica que todas las miradas están puestas en mí, y una oleada de rubor calienta mis mejillas.

Kadar sitúa su caballo gris a la derecha del mío y nos ponemos en camino. Dejamos atrás a una legión de sirvientes y soldados desmontando el campamento. Los principales miembros de la comitiva nos siguen, y la carroza de Moira cierra la marcha.

Una brisa ligera y fría acaricia mi rostro y desprende un mechón de mi trenza, haciéndolo oscilar sobre mi frente. Durante un buen rato cabalgamos en silencio, y yo me dejo mecer por el golpeteo rítmico de los cascos de los caballos sobre el polvo del camino. Frente a nosotros se yergue una cordillera negra, que contrasta con las dunas rojizas y salpicadas de arbustos que nos rodean. Un paisaje seco y estéril... Como casi todos los de Decia.

—¿Te encuentras bien, Kira? —me pregunta Kadar, acercando su caballo al mío—. No has dicho ni una palabra desde que entré a buscarte en la tienda.

—No tengo nada que decir —replico mirando al frente, hacia las montañas—. Nada que valga la pena.

—Eso lo dudo mucho. Lo que pasa es que no quieres hablar conmigo. ¿Qué te ocurre? Creía que teníamos un acuerdo. Yo te trato como tú quieres, y tú, a cambio, te muestras amable conmigo... como debe mostrarse una mujer con su marido.

No puedo evitar volverme para mirarle.

—¿Y vos sí estáis cumpliendo vuestra parte del trato? ¿De verdad creéis que el trato que me dais es el que yo quiero?

Kadar me mira perplejo. Es evidente que no sabe de qué le estoy hablando.

—No me hables como a tu rey, sino como a tu futuro esposo. De tú, no de vos... Es una orden.

Se me escapa una breve carcajada.

—Una orden. Claro. Y queréis que no os hable como a un rey, cuando ni por un momento dejáis de actuar como tal.

—No sería necesario si no insistieras en desobedecerme —replica Kadar, irritado—. ¿Por qué te empeñas en desafiarme, Kira? No somos enemigos, sino aliados.

Debo tener cuidado y no tensar demasiado la cuerda, pero es que a veces necesito dar rienda suelta a mi frustración, aunque solo sea por un momento.

—Los aliados no imponen al otro su voluntad. Tienen en cuenta sus deseos —contesto en tono apagado.

—¿Y cuándo no he tenido yo...? ¿De qué me estás hablando, qué he hecho?

No lo sabe. No tiene ni idea. Kadar está tan acostumbrado a que todo el mundo a su alrededor haga lo que él decide, que ni siquiera se da cuenta de que es un déspota.

—¿Te has preguntado en algún momento si yo quería cabalgar? —le pregunto, mirándole a la cara—. No estoy acostumbrada, me fatiga mucho, y la piel se me reseca hasta agrietárseme. Sin embargo, tú en ningún momento has pensado en lo que yo prefiero... Querías que te acompañara, y punto.

Noto la sorpresa en sus ojos. Ni siquiera se le había pasado por la cabeza consultar mis deseos sobre este asunto, se le ve en la cara.

—¿Crees que ha sido un capricho? —menea la cabeza, sonriendo—. Ahora lo entiendo, así que era eso... Nunca terminaré de conocer a las mujeres. No ha sido un capricho, Kira... Tengo mis razones.

—¿Para obligarme a cabalgar contigo? ¿Qué razones?

Su sonrisa se desdibuja.

—Aunque no lo creas, me preocupa tu seguridad. Esta noche... Quizá no debería contártelo, no quiero que te asustes. No obstante, ya que te empeñas en saberlo todo, te lo diré: esta noche han pillado a un intruso en el campamento. Otros dos consiguieron escapar. Eran bandidos, supongo. Los idiotas de la escolta apuñalaron al prisionero antes de que pudiéramos hacerle hablar, así que no sabemos nada más. Pero iban armados... y con buenas espadas, de acero templado y empuñaduras de oro. En fin, ahora ya lo sabes todo. Están produciéndose ciertos movimientos, Kira. El rumor de tu actuación en la corte se ha extendido, y hay gente que teme que las cosas cambien, que tú las cambies. No todo el mundo en Decia desea el retorno de las aguas sagradas... Los hay que se han hecho ricos controlando el uso de los pocos pozos y fuentes que nos quedan.

—¿Crees que quieren matarme?

Kadar frunce el ceño y fija la mirada en los picos de la cordillera. De perfil, su rostro resulta aún más apuesto que de frente.

—Creo que algunos pueden estar pensando en intentarlo. Pero pronto comprobarán que es una mala idea.

Curiosamente, la información que acaba de darme me deja indiferente. Quizá debería tener miedo, aunque no lo tengo. Al menos, no de esos merodeadores que, según Kadar, me odian. No. Si de alguien tengo miedo, es de él, del efecto que empieza a ejercer sobre mí. No debo olvidar quién es y lo que pretende. Quiere ganarse mi confianza para manipularme, para convertirme en un arma contra mi propio pueblo.

Igual que Edan.

—¿Dónde está tu hermano? —le pregunto de repente.

Kadar se vuelve hacia mí con brusquedad, todo su cuerpo en tensión.

—¿Por qué me lo preguntas? ¿Todavía te importa?

No esperaba que fuese tan directo. Me gustaría controlar mejor mis reacciones... Creo que me he ruborizado de nuevo.

—No —contesto, rehuyendo sus ojos—. No era más que una pregunta. Hablar por hablar.

Kadar me quita las riendas de las manos y tira de ellas, obligando a mi yegua a detenerse junto a su caballo. Me acaricia el rostro, y luego me agarra suavemente del mentón, obligándome a levantar la cabeza y a mirarle a los ojos. En los suyos capto una chispa de cólera.

—Mientes. Claro que te importa —murmura—. Lo que no sé es si es odio o amor. En todo caso viene a ser lo mismo, ¿no? Dos caras de la misma moneda.

—Suéltame. Por favor, voy a caerme del caballo...

Kadar me suelta con un gesto casi de desprecio. Intento recuperar el aplomo sobre la silla de montar, pero todo el cuerpo me tiembla.

—No te preocupes por Edan, no volverás a verlo en mucho tiempo. Lo he mandado a la frontera norte para que dirija el reclutamiento de nuevos soldados. Una tarea fácil, demasiado fácil para alguien como él. Eso es lo que piensan algunos, incluido su adorado Luther. Murmuran que lo he enviado al norte como castigo, que es un destierro encubierto... Aunque nadie se atreve a decírmelo a la cara. No serviría de nada, porque no pienso cambiar de opinión. ¿Satisfecha?

—¿Es cierto? —pregunto—. ¿Es un destierro encubierto?

Kadar me clava sus penetrantes ojos claros y, en lugar de contestarme, espolea su caballo y se aleja de mí.

No volvemos a cabalgar juntos en todo el día.

CAPÍTULO 2

Estoy agotada. Me duelen todos los huesos del cuerpo después de esta jornada interminable a caballo, y lo único que deseo es tumbarme y dormir.

Sin embargo, aún están montando la tienda; es una operación larga. Hemos hecho un alto en un bosquecillo a los pies del Pico del Buitre, donde se encuentra la fuente de Ayriss. Kadar quería llegar hoy a la fortaleza, pero ha sido imposible. La comitiva es demasiado larga, y tuvimos que esperar a los que se habían quedado rezagados recogiendo las tiendas y la impedimenta.

Aguardo sentada en el suelo, con la espalda apoyada en el tronco de un árbol raquítico. Está oscureciendo, y el campamento es un hervidero de faroles que van y vienen sin descanso. Junto a la carroza de Moira está Kadar, apoyado en la portezuela. Charla animadamente con su hermana, que aún no ha salido del vehículo. Ni una vez desde que nos detuvimos le he visto buscarme con la mirada. Es como si se hubiese olvidado de mí... o, al menos, quiere darme esa impresión.

Me molesta. Sé que es absurdo, porque fui yo quien le ahuyentó esta mañana, pero tengo que admitir que no me gusta que me ignore. Defenderme de sus intentos de manipularme se ha convertido en mi ocupación principal desde que llegué a su corte, y cuando se interrumpe me siento... ¿vacía? No, esa no es la palabra. Más bien me siento insegura, como si de pronto no supiese qué hacer con mi tiempo ni cómo comportarme.

Esther, una de las damas de Moira, se acerca a mí y me hace una breve reverencia.

—Alteza, mi señora os ruega que os unáis a ella durante la cena. Las tiendas aún tardarán en estar listas, así que ha ordenado disponer la mesa al aire libre, cerca de las hogueras.

—¿Nos acompañará Su Majestad?

Esther no se molesta en reprimir su sonrisa.

—Mi señora me dijo que me lo preguntaríais. No estará, Alteza... Va a organizar las patrullas de vigilancia, así que cenará más tarde, con sus hombres.

Asiento, un poco perpleja por la forma tan directa y desenfadada en que me ha contestado la dama de Moira. Supongo que el estilo de su señora es contagioso... Esther me invita a seguirla con un gesto, y me pongo en pie justo en el momento en que Kadar se aleja de la carroza.

El cochero ajusta la rampa a la puerta del carruaje, y un momento después Moira se desliza por ella en su silla de ruedas. Su rostro alegre y despreocupado me devuelve un poco de confianza. Viene directamente hacia mí.

—Esther juega fatal al ajedrez —es lo primero que me dice—. Siempre le gano, y es muy aburrido. La jornada se me ha hecho larguísima sin ti. Pero Kadar tiene razón, es mejor que cabalgues a su lado hasta que se aclare lo que pasó ayer. Te lo contó, ¿no? Lo de esos hombres armados.

—Sí, me lo contó. No sé por qué supone que tienen algo que ver conmigo. ¿No es más probable que quisiesen atacarlo a él?

Moira me mira asombrada.

—¿A Kadar? No se atreverían. Además, eres tú la que despierta recelos... Perdona, pero es la verdad. E incluso si quisieran hacerle daño a él, lo harían atacándote a ti. Saben que eres su nuevo... proyecto.

Me echo a reír.

—Su «proyecto». Sí, es un término perfecto para describir nuestra relación. Más que su prometida, soy su «proyecto». Me encanta.

Moira me mira con el ceño fruncido.

—Yo no quería decir eso, me has entendido mal. A Kadar le importas de verdad. Nunca le había visto así, tan pendiente de alguien, tan... encandilado.

Asiento en silencio. No quiero llevarle la contraria a Moira. Kadar es su hermano, es lógico que lo defienda.

Edan también es hermano suyo, y estoy segura de que no le ha gustado la forma en que Kadar le ha tratado desde que nos prometimos. En todos estos días que hemos pasado viajando juntas nunca hemos hablado de Edan, pero hoy, no sé por qué, siento la necesidad de hacerlo.

La ocasión se presenta durante la cena, cuando Moira me llena el vaso de hidromiel por segunda vez.

—Aprovecha esta última oportunidad, mañana en la fortaleza no te dejarán beber más que agua —comenta, sonriendo—. Es una de las normas de los caballeros del Desierto: comidas sencillas y austeras, sin ningún lujo. Espero que Edan cambie eso cuando se convierta en Gran Maestre.

—No creo que lo cambie —digo—. La austeridad no es algo que le moleste.

Mis ojos se encuentran con los de Moira.

—Sí, es cierto. Se nota que lo conoces bien —observa ella—. Supongo que es por la forma en que lo han educado, tan diferente de la nuestra. Siempre sacrificándose, intentando ser perfecto... Te confieso que a veces tanta perfección me saca de quicio.

—¿Has sabido algo de él desde que dejó la corte?

Los ojos de Moira dejan de sonreír. Capto una tristeza contenida en su tono cuando me contesta.

—Me ha escrito, sí. Dice que está bien. Edan no se queja nunca, lo cual no significa que sea ciego, ni idiota. Kadar se ha equivocado mandándolo al norte para dirigir el reclutamiento. Es una tarea indigna de Edan, cualquier otro podría hacerlo. Y en tiempos tan difíciles como estos, me parece una locura desperdiciar su talento de esa manera. Ya hemos tenido que vivir sin él demasiado tiempo.

—Tal vez Kadar cambie de opinión —me atrevo a sugerir.

Moira me observa pensativa.

—Nunca se han llevado bien, aunque esto va más allá de las relaciones personales. Kadar debería tener más cuidado, porque muchos consideran su forma de tratar a Edan como una provocación.

—Hacia los caballeros del Desierto...

—Sí. No lo dicen abiertamente, no todavía, pero están indignados. Edan te trajo aquí, y con su generosidad ha cambiado las perspectivas de la guerra. Kadar debería estarle agradecido, y sin embargo... Es por ti, ¿verdad, Kira?

La pregunta me pilla desprevenida. No sé qué contestar.

—¿Por mí? Eso no tiene sentido —murmuro—. ¿Por qué iba a...?

—Tiene miedo. Miedo de perderte —me interrumpe Moira—. Miedo de que Edan se interponga... Pasó algo entre vosotros, ¿no es cierto? Edan no es el mismo desde que regresó.

—Ha estado seis años prisionero —acierto a contestar—. Es lógico que eso le haya cambiado.

—Sí. Aunque no es solo eso. Hay algo más. Desde que te

entregó a Kadar, es como si estuviese ardiendo por dentro, quemándose de ira. Se odia a sí mismo... ¿Por qué, Kira?

No puedo sostener la mirada de Moira, así que bajo los ojos.

—No lo sé —digo en voz baja—. No sé qué es lo que pasa por su cabeza, ni lo que siente. Nunca lo he sabido. Nunca he llegado a conocerlo.

—Lo dices como si eso te doliera.

Debo serenarme, tratar de controlar mis reacciones. No puedo dejar que Moira sepa hasta qué punto es cierto lo que dice, hasta qué punto me duele lo que me ha hecho Edan.

—Lo que yo sienta no importa —replico, tratando de sonreír—. Nunca ha importado.

Moira arquea las cejas.

—¿En serio? Pues a ellos sí les importa, y mucho. A los dos... Es una gran responsabilidad, Kira.

Eso me hace reaccionar.

—No. No es mi responsabilidad —digo, sin poder contener mi irritación—. No es justo que me culpes a mí de lo que pasa entre ellos. Ellos han decidido por mí, sin tener en cuenta mis sentimientos, así que no me digas ahora que mis sentimientos son importantes, porque es mentira.

—Cálmate, Kira. No te estoy acusando de nada. Solo era una observación... Entiendo que esto debe de ser muy duro para ti. El compromiso, todo lo que supone... Tienes razón, tú no lo has elegido. Pero no es tan malo, Kira. De verdad que no es tan malo. Debes darle una oportunidad a Kadar.

—Como si tuviese otra alternativa.

Me mira con curiosidad.

—¿Kadar te da miedo? —me pregunta.

—Sí. A todo el mundo le da miedo, creo que en eso no estoy sola.

—A todo el mundo no. A mí no me da miedo, ni a Edan

tampoco. Si acata sus órdenes no es por miedo, supongo que lo sabes.

—Lo sé. Es por su ridículo sentido del deber —digo en tono mordaz—. De todas formas, si temo a Kadar no es por lo que pueda hacerme a mí. Eso no me da miedo, puedes decírselo a Edan.

Inmediatamente me arrepiento de mis palabras. ¿Qué estoy haciendo? No puedo revelarle a Moira lo que ocurrió entre Edan y yo, es peligroso. No puedo contarle que acepté el compromiso con Kadar porque este me amenazó con destruir a Edan si no lo hacía. Pero Moira es inteligente, y ya he dicho demasiado. Tal vez lo suficiente para que se imagine toda la verdad.

En todo caso, no es una verdad fácil de aceptar para ella. Posiblemente por eso cambia bruscamente de tema y empieza a hablarme de la fuente de Ayriss, de las leyendas que circulan sobre sus antiguos poderes. Es interesante, y trato de seguir sus explicaciones con atención, a pesar de que la explosión de emociones de hace un momento me ha dejado exhausta, y me distraigo continuamente.

Tampoco soy capaz de seguir comiendo. Se me ha quitado el apetito.

—Necesitas descansar —dice Moira por fin, observándome con preocupación—. Tu tienda ya debe de estar lista... Si quieres, le digo a Esther que te acompañe. No hace falta que te quedes a esperar el postre.

Me apresuro a aceptar su ofrecimiento, porque realmente no puedo más. La cabeza me estalla de dolor, y apenas soy capaz de mantener los ojos abiertos.

Mientras sigo a Esther a través del campamento con la vista fija en la luz de su farol, tengo la sensación de caminar dentro de un sueño. Las voces de los hombres, los ladridos de los perros, el viento que agita las hojas duras y gruesas de los árboles a nuestro alrededor..., todos los sonidos se confunden en un único rumor distante. Es como una voz antigua desgranando una historia que no tiene nada que ver conmigo ni con mi auténtica vida.

Cuando llego a mi tienda, me despojo de inmediato de mi capa de lana y la arrojo sobre un sillón de cuero. Despido a Esther con un escueto saludo de buenas noches. Dunia está esperando en el interior de la tienda, con todas las lámparas encendidas.

—¿Os encontráis bien, Alteza? —me pregunta al verme—. Os veo muy pálida.

Le digo que estoy bien, aunque supongo que mi aspecto desmiente mis palabras. Me ayuda a desvestirme frente al espejo y a meterme en el baño, lleno de humeante agua de Lugdor.

La suavidad de los aceites perfumados que Dunia vierte en el agua alivia un poco el escozor de mi piel reseca. Cierro los ojos y me dejo envolver por el cálido vapor que se desprende del agua.

Quiero olvidarme de todo y disfrutar de este momento. No quiero pensar en Moira, ni en Kadar, ni en Edan...

—¡Alteza, no os durmáis! —exclama Dunia, sobresaltándome—. El agua se está enfriando, os ayudaré a salir. Permitidme...

Dejo que Dunia me eche sobre los hombros la esponjosa toalla. Me froto vigorosamente con ella antes de ponerme el camisón. Es una túnica de seda con las mangas de encaje, tan vaporosa que sus bordes parecen flotar alrededor de mis tobillos y mis muñecas.

Por fin voy a descansar, al menos por unas horas. Estoy deseando que Dunia se vaya...

Entonces ocurre. Se me nubla la vista, los ojos se me inundan de destellos plateados, y en medio del resplandor, surge una imagen viscosa, repugnante: un cuerpo largo, cubierto de escamas oscuras que reflejan la luz de las lámparas, deslizándose rápidamente sobre las sábanas.

Sí. Está ahí, puedo sentirlo, muy cerca de mí. Está ahí mismo, bajo el cobertor. ¡En mi cama!

Creo que he llegado a gritar antes de derrumbarme en el suelo. Dunia acude a ayudarme, me sujeta por debajo de los brazos, intenta que me siente mientras me dice cosas que no llego a comprender.

Pero no quiero sentarme, ¡no aquí, sobre la colcha! No, esa cosa sigue escondida entre las sábanas, esperando.

—¡Hay una serpiente! —consigo gritar, señalando a la cama—. Está ahí, es venenosa, lo noto. Dunia, hay una serpiente. Dunia...

—Calmaos, Alteza, aquí no hay nada, ¿lo veis? No hay...

Sus palabras terminan en un grito. Acaba de apartar la colcha para tranquilizarme, y ahí, sobre la sábana blanca, está la serpiente. Es exactamente igual a la visión que acabo de tener: un cuerpo largo de escamas brillantes como el azabache y una cabeza triangular con tres manchas rojas a cada lado.

—Un... un coral negro —balbucea Dunia—. Su veneno es mortal... ¿Cómo ha llegado hasta aquí?

No tengo una respuesta a su pregunta, y tampoco es el momento de buscarla. El pánico me ha despejado completamente, y sé que no hay tiempo que perder.

—Avisa al rey, Dunia —murmuro—. Rápido... Yo esperaré fuera.

CAPÍTULO 3

Dicen que si te pica un coral negro se te paralizan primero los músculos de los brazos, luego los de las piernas, y al final los del cuello y el tronco. No puedes respirar y terminas muriéndote de asfixia. El proceso tarda entre diez y doce horas, y es tan penoso que a la muerte por mordedura de esta clase de serpientes se la conoce en Decia como «la tortura negra».

También dicen que estas serpientes no son fáciles de encontrar, y menos aún de capturar. Son cazadoras nocturnas, y se mueven con tanta rapidez que hace falta un temple de hierro para atraparlas vivas. En cuanto se sienten apresadas, se desprenden de su cola y escapan. Además, tienen una capacidad asombrosa para revolverse sobre sí mismas y picar a su captor, convirtiéndolo en su víctima.

Alguien se ha tomado muchas molestias para meter uno de esos animales mortales en mi cama. No me habría salvado si no llega a ser por mi visión.

Es extraño; empezaba a asumir que había perdido definitivamente el don de la videncia, que despertó en mí cuando celebré el ritual de curación de las aguas en la fuente de Lugdor.

En las primeras semanas tuve varias visiones; luego, dejé de tenerlas. Pensé que, si conseguía agua de Lugdor para beber y bañarme, las visiones volverían, y le pedí a Kadar que me la proporcionara. No sirvió de nada... hasta ahora.

Quizá las visiones solo se manifiesten cuando hacen falta. En este caso, la imagen de esa serpiente retorciéndose en mi cama me ha librado de una muerte lenta y horrible. Suerte que Kadar no me ha preguntado cómo supe que la serpiente estaba ahí... Cree que fue una simple intuición, supongo. En todo caso, no es eso lo que ahora mismo le preocupa.

Kadar está furioso. Lo noto en su expresión, en el brillo amenazante de sus ojos, en su mandíbula apretada. Incluso cuando no dice nada sé que está pensando en esa serpiente y en lo que significa: alguien ha intentado asesinar a su prometida en su propio campamento. Alguien que probablemente sigue aquí, entre nosotros..., esperando una nueva oportunidad para actuar.

Es humillante para el rey verse traicionado de esa forma en su círculo más cercano. No ha querido que la noticia trascienda, si bien es difícil ocultar algo como esto. Dunia vio el coral negro, y es probable que se lo haya contado a las otras damas del séquito, pese a la prohibición del rey. Quizá me equivoque, pero tengo la sensación de que, a estas alturas, todos saben lo que pasó... Lo leo en sus miradas.

Aun así, los planes de Kadar no han cambiado. Esta mañana, al amanecer, nos pusimos en marcha como estaba previsto, y antes de mediodía llegamos a la fortaleza de Ayriss.

Se trata de una construcción menos imponente que Lugdor, más acogedora. Tres altas torres de mármol azulado flanquean la muralla triangular, y en el centro se alza el castillo propiamente dicho. El complejo está rodeado por un denso bosque de árboles frondosos y oscuros, cuyas raíces se alimentan con los residuos de la fuente. En otros tiempos, cuando las aguas de Ayriss manaban libremente de su manantial, generaban una cascada que caía en vertical a los pies del bosque, formando un lago entre las rocas negras. Pero hace mucho que el lago se secó... Ahora, todos esperan que yo le devuelva la vida.

Sin embargo, no será hoy. Kadar no lo permitirá. Poco después de nuestra llegada, mantuvo una agria disputa con el comandante de la fortaleza, un anciano caballero del Desierto al que llaman Bluedard. La discusión se produjo en el patio de armas, a la vista de todos. Yo me encontraba demasiado lejos para oír lo que decían, pero estoy segura de que hablaban de mí y de la ceremonia de curación de la fuente.

Kadar me comunicó más tarde lo que había decidido al respecto. Yo acababa de instalarme en la habitación que me han destinado, una amplia estancia con ventanas hacia el bosque, en el ala sur del castillo. Dunia estaba abriendo uno de mis arcones para sacar ropa limpia cuando el rey irrumpió en la habitación.

—Fuera —ordenó a mi doncella—. Tengo que hablar a solas con mi prometida.

Dunia hizo una reverencia y salió apresuradamente de la alcoba, cerrando la puerta tras de sí.

Cuando nos quedamos solos, lo primero que hizo Kadar fue asomarse a una de las ventanas y contemplar el patio. Después se volvió hacia mí.

—Parece seguro —dijo—. Por lo menos, por este muro no pueden trepar. Cae a pico sobre las rocas. Siéntate, se te ve cansada... Tenemos que hablar de lo que ha pasado.

Me senté en la cama; él se quedó de pie. No dejaba de moverse, de pasear febrilmente a un lado y a otro de la habitación. Así siguió durante unos minutos, mientras yo le observaba sin atreverme a decir nada.

Finalmente se detuvo.

—Necesito saber si has visto algo raro, si sospechas de alguien. Piensa, Kira, piensa... Cualquier cosa que te haya llamado la atención estos días puede ser importante.

Intenté pensar, pero no recordé nada extraño que pudiese servirnos de pista.

—Ojalá me hubiese fijado más —dije en voz baja—. No he visto nada que me hiciera sospechar, lo siento.

Kadar me miró de una forma que casi me dio miedo, aunque sabía que su furia no iba dirigida contra mí.

—Quienquiera que esté detrás de esto, ha cometido un error —afirmó, reanudando sus paseos—. Eligieron el peor día para intentar... lo que intentaron. Puede que otras noches descuidásemos un poco la vigilancia, pero justamente ayer, después de haber pillado a esos merodeadores la noche anterior, yo mismo me encargué de organizar las patrullas de la guardia. Te garantizo que todo el perímetro del campamento estaba vigilado. No pudieron entrar desde fuera.

—Entonces... significa que lo hizo alguien de dentro.

Kadar asintió, mirándome.

—Sí. Ese ha sido el error. Si es alguien de dentro como tú dices, y yo también lo creo, antes o después lo atraparemos. Seguramente esperan que perdamos tiempo y energía peinando la zona, buscando a los culpables en los alrededores de Ayriss. Sin embargo, no lo haremos. Estoy convencido de que el enemigo está mucho más cerca.

—¿Quién?... —murmuré, más para mí que para él—. No tiene sentido.

Kadar se sentó a mi lado, muy cerca de mí. Me apartó un mechón de pelo del cuello, echándolo hacia atrás.

—¿Por qué? Hay mucha gente que quiere verte muerta, Kira. Mucha gente... por diferentes motivos.

Yo mantenía los ojos fijos en el suelo. Tenerlo tan cerca me pone nerviosa, me hace perder el hilo de mis pensamientos.

—Creí que, siendo la prometida del rey, nadie se atrevería a hacerme daño.

Kadar frunció el ceño. Su expresión, en esos momentos, no podía ser más sombría.

—También yo lo creí —admitió—. Al parecer me equivocaba. Esto no ha sido algo casual ni improvisado, está claro que hay un plan detrás. Un plan muy bien trazado... Piénsalo. Alguien ha tenido que viajar todas estas semanas con nosotros, manteniendo a la serpiente viva, alimentándola y ocultándola. Y ha encontrado el momento para deslizarla dentro de tu cama sin ser visto. Puede que sean dos personas, de ese modo uno podría vigilar mientras el otro actúa... y se protegerían mutuamente. Sí, es lo más probable. Lo que no entiendo es cómo se las han arreglado para esconder la serpiente... Solo tú, Moira, Luther y yo tenemos tiendas individuales. Los demás las comparten.

Mientras le escuchaba, se me ocurrió una idea.

—Puede que lo de los merodeadores que pillasteis ayer por la noche no fuese una casualidad —sugerí—. Puede que fuesen ellos los que introdujeron la serpiente.

—Tienes razón, no se me había ocurrido. Aun así, necesitarían un cómplice dentro. Alguien con acceso a ti... ¿Sospechas de Dunia?

Medité antes de contestar.

—Sé que no le caigo bien, pero cuando descubrimos la serpiente estaba tan asustada como yo. No creo que sea ella.

Kadar se pasó una mano sobre los cabellos, frustrado.

—Esto no va a ser fácil. Si por mí fuera, dejaríamos a un lado todo el asunto de las fuentes hasta dar con los culpables. Desgraciadamente ese idiota de Bluedard no quiere ni oír hablar del tema. Según él, la ceremonia de mañana no puede posponerse; dice que los campesinos están ansiosos, que han venido de todos los pueblos de la comarca. Como si eso me importara... Pero Luther está de acuerdo con él, y también Moira. No sé... ¿Tú qué crees?

Me encogí de hombros, perpleja. ¿Kadar me estaba pidiendo consejo? ¿A mí? Bueno, eso sí que era una novedad.

—Seguramente es lo que quieren los que me han atacado —dije, pensando en voz alta—. Parar todo esto, lo que yo estoy haciendo con las fuentes. ¿Por qué, si no, iban a querer matarme? Es porque desean que todo siga igual, que nada cambie en Decia. Puede que la forma de enfrentarse a ellos sea seguir avanzando, curando las fuentes una a una. Si me impiden hacer lo que he venido a hacer, habrán ganado.

—Hablas igual que Moira —replicó Kadar, impaciente—. Las fuentes llevan dormidas varias generaciones, no creo que pase nada por que esperen un poco más. Y yo que quería resolver esto antes de irme... Veo que va a ser imposible.

—¿Antes de irte? —pregunté, sorprendida.

El rey asintió.

—Ha llegado esta mañana un mensaje urgente del comandante de la flota. No puedo retrasar más mi partida, debo reunirme con ellos. La situación es complicada, han sufrido varios ataques rápidos en las últimas semanas. De tu gente, Kira; y casi en nuestras costas... Tengo que pararlo.

—Por eso tienes tanta prisa... Quieres descubrir al que hizo lo de la serpiente antes de irte.

Kadar me volvió hacia él y me rodeó con sus brazos.

—Sí —contestó, mirándome a los ojos—. No me gusta la idea de tener que dejarte ahora. Incluso he pensado en llevarte conmigo. Pero Moira tiene razón, es pronto para eso.

—¿Por qué es pronto? ¿Porque no confías en mí?

Kadar se echó a reír. Su mano derecha comenzó a juguetear con mi pelo, apoyada en mi hombro.

—Voy a pelear con tu gente, y tú eres prácticamente un arma de guerra ambulante. Tengo que asegurarme de que estás de mi parte antes de meterte en la guerra. No quiero perderte, ¿sabes?

Asentí en silencio. El cosquilleo de sus caricias en mi pelo me confundía, me distraía de sus palabras.

—Por el momento seguirás con esto, aunque yo me vaya —continuó en voz baja, hablándome casi al oído—. Pero mis hombres van a estar en guardia: si vuelve a ocurrir algo que ponga en peligro tu vida, sea lo que sea, regresarás a Asura de inmediato, y permanecerás en el palacio hasta que yo regrese.

—Prisionera...

—Segura.

Tomé su mano entre las mías, más que nada para impedir que siguiese distrayéndome con sus caricias. Le miré a los ojos.

—No estoy tan indefensa como crees —le dije—. No tienes por qué preocuparte tanto, no va a pasarme nada.

Kadar sonrió por primera vez en todo el día. Sin embargo, su sonrisa me pareció extraña, sombría.

—Lo sé. De todas formas, debes obedecer mis órdenes, igual que todos los demás. Y hablando de eso..., creo que debo advertirte sobre Moira. Es mi hermana y la adoro, pero a veces tiene una tendencia muy peligrosa a hacer lo que le da la gana, sin tener en cuenta mis instrucciones. Ella cree que, tal y como está la situación, debería llamar a Edan. Cree que es el único que, en mi ausencia, puede garantizar tu seguridad.

No sé si Kadar notó mi estremecimiento al oír el nombre de Edan. Es posible que sí, porque su mano se tensó entre las mías, y al instante la retiró bruscamente.

—¿Por qué me lo cuentas? —pregunté en voz baja.

Otra vez esa dureza en sus ojos, esa amenaza velada.

—Es una mala idea, Kira. No quiero a Edan cerca de ti. Si Moira le hace venir desafiando mis órdenes, no respondo de lo que pueda ocurrirle. Esto no puedo decírselo a Moira, pero a ti sí.

CAPÍTULO 4

Apenas han pasado veinticuatro horas desde nuestra llegada a la fortaleza de Ayriss y el ritual de mi descenso a la fuente sagrada está a punto de comenzar.

El maestre Bluedard me observa preocupado mientras Dunia termina de prepararme para la ceremonia. Ya ha trenzado los últimos hilos de plata en mis cabellos, y ahora intenta ajustarme unos pesados pendientes de plata y diamantes que, al parecer, ha donado un próspero terrateniente de la comarca. Todos estos adornos son innecesarios, e incluso pueden dificultar la tarea que tengo por delante. Pero ha venido mucha gente a presenciar el ritual, y Bluedard quiere asegurarse de que el espectáculo que les vamos a ofrecer esté a la altura de sus expectativas.

Luther entra justo en el momento en que Dunia acaba de ajustarme los pliegues de las mangas. La túnica de baño que visto es la misma que me regaló el rey para mi demostración del don de cristal en la corte de Asura. Pero Luther no se fija en la túnica, sino en los pendientes y en los brazaletes que me han puesto.

—Esto es absurdo —protesta dirigiéndose a Bluedard con evidente disgusto—. Deberíamos enviar a toda esa gente a su casa y hacer las cosas como es debido. Lo que va a hacer Kira no es un número de circo, ¿es que no os dais cuenta? Estáis poniendo en peligro la curación de la fuente con estas tonterías.

—Gran Maestre Luther, si me ordenáis que envíe a esas gentes a sus casas lo haré, porque os debo obediencia. No obstante, tengo que recordaros que el rey Kadar se ha mostrado encantado con nuestros preparativos —dice Bluedard, pestañeando nerviosamente—. A él le parece adecuado que el público asista a la ceremonia. ¿Y quién mejor que él conoce a su futura esposa? Además, ella no se ha quejado.

Luther viene hacia mí y, sin decir palabra, me desprende los pendientes de las orejas. Los diamantes se estrellan contra el suelo.

—¿Qué hacéis? —brama Bluedard horrorizado, y él mismo se agacha a recoger las joyas—. Luther, esto no está bien. La gente se sentirá decepcionada. El donante...

—El donante recuperará su costoso regalo y todos contentos. Quítate también esos brazaletes, Kira. Así está mejor... Necesita sentirse cómoda, moverse con libertad.

Le agradezco a Luther su intervención con una sonrisa. ¿Quién me iba a decir que este hombre, que tanto me intimidaba al principio, iba a convertirse con el tiempo en una de las pocas personas de Decia en las que confío?

Del brazo de Luther, salgo de la capilla donde me he estado preparando. Un camino de mármol nos conduce hasta la escalinata del anfiteatro que rodea a la fuente.

Las gradas ya están llenas de hombres, mujeres y niños que, al verme llegar, empiezan a corear mi nombre. Mientras bajamos las escaleras, noto que las piernas me tiemblan. ¿De verdad voy a tener que escuchar la voz del agua en presencia de todos estos extraños? ¿Cómo voy a hacerlo? ¿Y si algo sale mal? Podría ser incluso peligroso; esas aguas que duermen bajo las gradas de mármol son como un poderoso dragón aletargado. Cuando se despierten, tal vez ni yo misma pueda controlarlas.

Kadar y Moira esperan a que dé comienzo el ritual en el palco de honor, bajo un baldaquino púrpura que se balancea en el viento. Luther me deja sola en el centro del escenario.

Detrás de mí, las montañas cubiertas de árboles negros se alzan como un majestuoso decorado natural. Delante, los espectadores aguardan impacientes, intercambiando susurros y risas contenidas.

Miro hacia arriba. El sol ya ha descendido en el horizonte, y el cielo tiene ese color azul intenso que me recuerda las tardes de mi aldea, en Hydra. Allí podía oír el mar a todas horas, desde cualquier rincón de la casa de mis padres. Aquí el mar, en cambio, se encuentra lejos. Demasiado lejos.

El rumor, sin embargo, está ahí. No lo oigo con mis oídos, sino con mi mente. Es el mismo sonido que tan bien conozco desde mi infancia: la canción de las olas, melancólica y eterna.

Esta fuente no es como la de Lugdor. Nunca ha estado escondida bajo tierra, sino a la vista de todos. Hace siglos, este anfiteatro de mármol era la fuente. Cada una de las grandes rosas de piedra que me rodean formaba un surtidor: hay doce en total. Doce surtidores, uno por cada mes del año.

Luther me explicó que nunca manaban todos a la vez. Cada mes despertaba una de las rosas, y sus aguas tenían propiedades únicas. Las rosas del verano daban un agua salina y espumosa; las de otoño sabían a cobre y a hierro; las de invierno eran las más cristalinas y puras; y las de primavera, las más dulces y agradables al paladar. Decían las gentes de la comarca que el que había bebido de cada una de las doce rosas quedaba protegido para siempre de las dolencias de amor. Pero si al beber de una de ellas había pensado en alguien con nostalgia, la protección ya no tenía efecto.

Ahora las rosas de piedra están secas, aunque sus aguas murmuran ahí abajo, se enredan sin mezclarse, entrelazadas unas con otras. Tengo que desenredarlas para que no se asusten al despertar y enloquezcan, debo llamar a cada una con su propia voz.

Sin embargo, no es fácil. No es fácil separar las doce hebras líquidas, reflejar en ellas mis pensamientos igual que en un espejo hasta que algo en su interior responda a la llamada y empiece a ascender, a salir lentamente del sueño.

Comienzo por las aguas del verano. Son ligeras y burbujean ansiosas cuando me oyen, tienen la inocencia juguetona de las aguas del mar. Cuando empiezan a subir me asalta una oleada de pánico, porque siento que mis pies están a punto de fundirse para unirse con ellas. Tengo que impedirlo: no puedo iniciar ahora una conversión, es demasiado pronto.

El esfuerzo que debo realizar para retener mi cuerpo del lado humano me provoca un horrible dolor. Siento finas agujas de cristal en mis tobillos, perforándome la piel, implacables. ¿Estoy sangrando? No; es solo una sensación, o el espejismo de una sensación, aunque duele como si fuese real.

Sin embargo, no debo dejar que el dolor me distraiga. El agua ya ha empezado a brotar de las tres rosas. Suave, dócil... Un murmullo de asombro se extiende por el anfiteatro.

Ha llegado el momento de despertar a las aguas otoñales. Cierro los párpados y veo con los ojos de la mente los destellos de bronce prisioneros en el líquido, muy abajo, en las entrañas de la tierra.

Tengo que invocar esos destellos, llamarlos con la fuerza silenciosa de mi don. La boca se me llena de un sabor metálico, y durante unos segundos me quedo ciega, mirando a la negrura del manantial subterráneo, intentando romperla.

Esta vez, el agua mana a borbotones. Las tres fuentes del otoño se despiertan casi a la vez, escupiendo surtidores de líquido oxidado, que hacen que algunos niños griten, creyendo que es sangre. Poco a poco el agua se va aclarando, aunque sigue brotando con la misma fuerza. Los profundos surcos esculpidos en el suelo de mármol se llevan esas venas de agua hacia los desaguaderos que comunican con la cascada, que ya empieza a cantar tímidamente por detrás de las gradas, y que pronto, cuando el agua aumente su caudal, comenzará a rugir, ahogando el débil murmullo de las voces humanas.

Las fuentes de invierno tardan más en despertarse. Su sueño era el más profundo, estaban heladas. Tantos siglos de inmovilidad las habían convertido en fríos cristales de gran espesor, allá en las profundidades de las rocas. Sin embargo, también ellas, cuando se las invoca, responden a la llamada.

Las últimas en ascender son las aguas primaverales. Su dulzura es un bálsamo para mis pies, y solo cuando empiezan a rebosar en los surcos y a cubrir las losas de mármol desgastado, permito que una parte de mi cuerpo se deje arrastrar por su voz. No puedo seguir resistiéndome a ese canto, el dolor me mataría. Ya me está matando, tengo que responder... Las aguas han acudido a mí, y ahora es justo que yo acuda a ellas.

A pesar de la violencia de la llamada, consigo detener la conversión a la altura de mis rodillas. La túnica de baño oculta la metamorfosis a los ojos de los espectadores, al menos en parte. Muchos, con la distancia, ni siquiera perciben que una parte de mí se ha fundido con el agua y ha empezado a fluir hacia la catarata, dejándose arrastrar por ella.

Sin embargo, no debo caer. No, eso sería peligroso. Tengo que hacer regresar esa parte de mí que intenta irse para fluir libremente con las aguas de Ayriss, que desea caer a plomo sobre las rocas y estallar abajo en mil pedazos. Tengo que hacerla regresar...

Es en ese movimiento de recogida cuando me asalta la visión. No se trata tan solo de una imagen, sino de un latigazo de calor en la piel, de una quemazón insoportable. ¿Qué me sucede? Estoy en medio de las aguas sagradas, yo misma soy agua... ¡y me estoy abrasando!

No, no soy yo. Son esos otros rostros, los rostros que he visto en el fogonazo de la visión. ¿Cuántos eran: seis, siete...? No puedo recordarlos con exactitud. Nunca antes los había visto.

Había una anciana y un niño de pecho. Había un muchacho curtido por el sol y una niña tan pálida como si se hubiese criado en la oscuridad. Una mujer de mediana edad y rostro triste. Un campesino...

¿Quiénes son? ¿Qué tienen en común?

El rostro de la mujer se parecía al de una prima de mi madre, allá en la aldea. Aunque no era ella, estoy segura. Ninguno de esos rostros era de Hydra...

Son gentes de aquí, de Decia.

Y al mismo tiempo, son otra cosa.

Ni ellos mismos lo saben todavía. Están despertando. Les duele, les duele igual que a mí, les quema como a mí me ha quemado su imagen hace un momento. Son decios, pero no son como los demás. ¿Qué es lo que los diferencia? Sí, esas manchas diminutas y brillantes. La niña la tenía en la muñeca. El campesino, en la cara. El recién nacido, en uno de sus muslos regordetes. Son escamas.

Escamas rojas, como las de las damas de la compasión, allá en Argasi. Así son las del pequeño y las de la mujer. Y escamas verdes, como las de la hermandad de la percepción. El adolescente tiene apenas una docena en el brazo, y se las rasca furiosamente, como si intentase arrancárselas. Sin embargo, no puede conseguirlo. Forman parte de él, solo que, hasta ahora, no lo sabía. Estaban ocultas, igual que estas aguas, dormidas, pasando en silencio de generación en generación. Un rescoldo de la antigua sangre de los sirénidos, que los reyes decios creían haber arrancado de su territorio para siempre.

Están ahí, y no desaparecerán. Yo las he despertado al sacar a las aguas de su letargo. Las he obligado a salir a la luz, y con ellas, he revelado las brasas de los dones ocultos que duermen en sus dueños.

Pero... ¿quiénes son esas personas? ¿Dónde viven? ¿Se conocen entre sí?

Seguramente no entienden lo que les está pasando. Estarán asustados. Y lo peor es que los demás empezarán a temerlos. Esas escamas brillantes en su piel serán como estigmas que los señalarán ante el resto de la población. Tendrán que esconderlas si no quieren sembrar el miedo a su alrededor. Tendrán que aprender a protegerse. Corren peligro...

Yo soy la culpable de lo que les pasa, y lo peor es que no puedo hacer nada por ellos.

CAPÍTULO 5

Solo han transcurrido tres días desde el ritual de la fuente y ya nos hemos puesto de nuevo en camino. La flota espera a Kadar en el puerto de Lyr, y yo debo acompañar al Gran Maestre a la fortaleza de Akheilos, en la costa occidental de Decia. Sus fuentes fueron las últimas en enfermar; dejaron sin abastecimiento de agua dulce a las aldeas pesqueras de la zona. Ahora dependen del agua de lluvia y de las destiladoras que limpian la sal del agua marina para hacerla potable.

Llevo toda la jornada cabalgando junto a Kadar, pero esta vez ha sido por mi propia voluntad. Esta mañana, cuando estaba terminando de vestirme para el viaje, llamaron a la puerta de mi habitación. Creí que sería Bluedard, pues el buen hombre estaba tan agradecido por lo que he hecho con las fuentes de Ayriss que continuamente me importunaba preguntándome qué podía hacer por mí. No obstante, cuando abrí la puerta, a quien me encontré fue al rey en persona.

—Vaya, esto sí es una novedad —dije, y creo que le sonreí—. El rey Kadar llamando a una puerta antes de entrar...

—¿Te has dado cuenta? —él también sonrió—. Estoy tratando de mejorar mis modales.

—Eso te honra. Pasa, estaba terminando de prepararme para el viaje. Dunia me ha avisado de que Moira ya espera en su carroza, y no quiero hacerle esperar demasiado.

—De eso justamente quería hablarte. Venía a pedirte..., a pedirte que cabalgases conmigo hoy, en lugar de viajar en la carroza con mi hermana. Es decir, si no es mucha molestia.

Me quedé tan asombrada, que por un momento no supe qué decir.

—¿Me... me estás pidiendo que cabalgue a tu lado? ¿En serio?

—Es la última jornada que vamos a pasar juntos —explicó el rey en un tono casi suplicante—. Mañana parto hacia Lyr, y no volveremos a vernos en mucho tiempo. Por eso quería... si a ti no te importa... ¿Aceptas?

Por supuesto, le dije que sí.

Significa mucho para mí que esta vez Kadar no me haya impuesto sus deseos. Me ha pedido que le acompañe, casi me lo ha rogado. Lo curioso es que ni él mismo es consciente de la importancia de su gesto. Pero, para mí, lo cambia todo. Si Kadar empieza a tratarme de otra forma, si se da cuenta de que nuestra relación debe basarse en el respeto, y no en un juego de poder, quizá haya una esperanza para nosotros... y para nuestros pueblos.

Eso no quiere decir que la transformación haya sido completa. Kadar sigue siendo Kadar. Durante estas horas que hemos pasado cabalgando juntos me ha contado muchas cosas sobre la historia de Decia y de su familia, aunque también ha aprovechado para deslizar varias advertencias acerca de mi situación aquí, y de lo peligroso que sería para mí intentar cambiar las cosas durante su ausencia.

—Decia es un país complicado —me dijo hace un rato,

mientras cabalgábamos siguiendo el curso de un riachuelo que vuelve a llevar agua después de varias décadas de sequía, gracias a la curación de las fuentes de Ayriss—. La riqueza está distribuida de forma muy desigual, y eso provoca tensiones. Lo que a unos les beneficia a otros les perjudica, y te vas a encontrar con gente que no te dará las gracias por lo que estás haciendo con las fuentes, sino todo lo contrario.

—No lo entiendo. ¿A quién puede perjudicarle que las fuentes vuelvan a manar como en los viejos tiempos? Es riqueza para las tierras, vida para los cultivos...

—Y pérdidas para los propietarios de los pozos y de las grandes destiladoras. Hasta el gremio de mercaderes del vino ha protestado. Temen que se reduzcan las ventas, ahora que beber agua sin hervir está dejando de ser peligroso. Ya ves, es imposible hacer feliz a todo el mundo.

Su tono desenfadado me hizo creer que podía hablar con libertad.

—Por mucha gente que esté en contra de la curación de las fuentes, seguro que son más los que están a favor —dije con cierto orgullo—. Les he cambiado la vida para mejor... Es imposible que no lo vean.

—Lo ven. Y lo aprecian. Pero incluso con esas gentes que aprecian tu labor aquí debes tener cuidado. Puede que intenten apropiarse de tu éxito, venderlo como propio. O puede que intenten utilizarte para sus propios fines adulándote, haciéndote creer que son tus más fieles aliados... Intentando separarte de mí.

Me sorprendió la repentina aspereza de su voz.

—¿Por qué iban a hacer eso? ¿Quiénes? No estarás hablando de los caballeros de la orden del Desierto.

—Sí, estoy hablando de ellos. De su jefe, Luther..., y también de Edan.

—Creo que eres injusto dudando de su lealtad —dije, mirando al frente para rehuir sus ojos—. Te la han demostrado suficientemente.

—Siempre lo defiendes —murmuró Kadar, descontento—. Siempre.

—También te defendería a ti si alguien te atacase en tu ausencia. Es decir..., si las acusaciones fueran injustas.

—Esto no es un problema de justicia, sino de poder. Yo lo tengo, Kira, y otros lo quieren. Y también te querrán a ti... porque tú formas parte de ese poder. No obstante, no te dejes engañar, no son tus sentimientos lo que les importa, sino tu don.

—Ya. No como a ti...

—A mí también me importa tu don, sí. Nunca lo he ocultado. Pero hace tiempo que dejó de ser lo único. Ni siquiera es ya lo más importante.

Cabalgamos un par de minutos en silencio. Yo no sabía qué decir. Puede que Kadar haya sido sincero esta vez. Aun así, sé que no debo fiarme de él. Porque, si me fío de él y me traiciona..., no quiero volver a sufrir como sufrí por Edan.

—No soy tan manipulable como crees —le dije por fin con toda la firmeza que pude reunir—. Y tengo claro que no debo fiarme de nadie aquí, así que no tienes por qué preocuparte.

La seguridad de mi voz pareció convencerle, al menos lo suficiente para no seguir insistiendo. Pronto cambió de tema y empezó a hablarme de las joyas de coral rojo típicas de esta comarca que estamos atravesando.

—En la próxima aldea nos detendremos y te compraré un collar —me dijo—. Y tienes que prometerme que lo llevarás puesto siempre en mi ausencia.

—En ese caso, prefiero que sea un brazalete —le contesté sonriendo—. Los collares me molestan, es como llevar una argolla al cuello. Me hacen sentirme prisionera.

Kadar me aseguró que me compraría las dos cosas, la pulsera y el collar.

—Hace un par de años visité esta zona. En la aldea de Hayk, por la que vamos a pasar, hay un orfebre que tiene su tienda en la calle principal y que hace cosas asombrosas para ser un artesano de pueblo. La otra vez me regaló unos pendientes para Ryanna... Seguro que hoy querrá tener un detalle con mi preciosa reina.

Estoy segura de que Kadar tenía la intención de pasarse realmente por el taller del joyero, a pesar de que ahora que hemos llegado a Hayk, es evidente que no va a poder cumplir su promesa. Algo grave debe de haber ocurrido en el pueblo, porque un tumulto detiene a la comitiva real y nos impide avanzar.

Derek, uno de los lugartenientes de Kadar, viene a nuestro encuentro desde la cabecera de la caravana. Su caballo está nervioso, intenta encabritarse, aunque Derek no se lo permite.

—¿Qué pasa, algún problema? —le pregunta el rey.

—Todo el pueblo está en la calle, y no precisamente de fiesta. Parece que han dado caza a una bruja que se les había escapado, y quieren quemarla.

El corazón se me desboca, y siento una oleada de calor en mis mejillas.

—¿Qué les ha hecho? —pregunto—. ¿Por qué quieren quemarla?

Derek me mira y luego mira a Kadar, como pidiéndole permiso para responderme. Pero es el rey quien contesta por él.

—No es preciso que haya hecho nada, es una bruja, Kira. O creen que lo es. Las gentes sencillas tienen miedo de la magia.

—No permitas que la maten —digo, aferrando su mano—. Por favor... Tú puedes impedirlo.

Kadar me clava un instante sus ojos claros, pensativos. Luego asiente y gira su caballo hacia Derek.

—¿Quién está al mando de esta gente? ¿Dónde están las autoridades? Búscalas. Diles que el rey quiere verlos... De inmediato.

Kadar me suelta la mano y dirige el caballo hacia la cabecera de la caravana. Moira se asoma a la ventanilla de su carroza cuando pasa por su lado. Intercambian unas palabras.

Desde donde estoy no veo a la turba que intenta linchar a la bruja, pero sí el humo de sus antorchas. Y oigo sus gritos, sus insultos... Dan miedo.

Sin embargo, después de unos minutos los gritos empiezan a acallarse. Oigo a lo lejos la voz de Kadar y de otro hombre, si bien a esta distancia no puedo captar lo que dicen.

Luther, que venía al final de la comitiva, adelanta a mis damas para poner su caballo a la altura del mío.

—Quizá el rey no debería intervenir. Es peligroso.

—Van a matar a una mujer inocente —digo, encarándome con él—. Si un rey no puede impedir eso, ¿de qué le sirve el poder?

Luther se encoge de hombros.

—El poder hay que reservarlo para las ocasiones importantes. No estoy seguro de que defender a una hechicera de pueblo sea una de esas ocasiones.

Aparto mi caballo del suyo, furiosa. ¿Cómo puede ser tan cínico? A veces se me olvida que la bondad del Gran Maestre es solo aparente. Se preocupa por mí porque yo soy una pieza importante en el tablero de la guerra con Hydra. Si tuviera que sacrificarme en un momento dado, lo haría sin pestañear... igual que está dispuesto a sacrificar a esa hechicera.

Me pregunto qué habría hecho Kadar si yo no le hubiese suplicado que interviniera. ¿Habría permitido que quemasen viva a esa pobre mujer?

Algo me dice que no. Lo habría impedido de todas formas.

Oigo el murmullo de la multitud que empieza a dispersarse. Kadar regresa, y caminando junto a su caballo viene una muchacha. Avanza tambaleándose, con pasos inseguros, como si estuviera mareada. En cualquier momento se podría caer.

Sin pensármelo dos veces, desmonto y camino hacia la chica. Todavía trae las manos atadas... Forcejeo con los nudos de la áspera cuerda que le sujeta las muñecas, y al final consigo liberarla.

—Se llama Elia —me dice Kadar desde lo alto de su caballo—. Cuéntale a mi futura esposa por qué querían matarte, muchacha. Creo que tu historia le va a interesar.

La joven se aparta un sucio mechón rubio de la cara. Me mira con miedo. En sus ojos verdes hay algo salvaje y turbio al mismo tiempo. Tal vez esté loca.

—Es por la mancha —contesta con voz ronca—. Se puso a brillar cuando me bañé en el río. No sé por qué fui al río, era como si una fuerza tirase de mí.

—Su madre la tenía encerrada en casa, pero se escapó —explica Kadar—. Llevaba toda la vida prisionera en su propio hogar. Era distinta desde que nació. No hablaba... Y no recordaba.

—Sí. Estaba maldita —dice la chica con una frialdad sobrecogedora—. Entonces fui al río y la mancha empezó a brillar. Me acordé de las palabras, de todas las cosas que me han pasado. Cuando volví a casa, a mis padres les entró miedo y llamaron a la curandera. Empezaron a decir que me había convertido en una bruja.

Alargo un brazo para tomar a la chica de la mano, pero ella retrocede, mirándome con desconfianza.

—Enséñale la mancha, Elia —ordena Kadar—. A mi prometida puedes enseñársela.

La chica vacila un instante. Finalmente, se sube una de las mangas y me acerca el brazo para que vea esa señal que ha estado a punto de costarle la vida.

Cuando descubro de qué se trata, ahogo una exclamación. No es una mancha, son escamas... Media docena de escamas rojas incrustadas en la piel pálida del antebrazo, tan brillantes como las de la cola de un auténtico sirénido.

CAPÍTULO 6

Cuando oscurece, hacemos alto en la base de un promontorio rocoso donde se alza media docena de árboles de troncos negros y retorcidos.

Kadar supervisa en persona a los soldados que están montando mi tienda. Supongo que tiene muy presente lo que ocurrió en nuestra última noche de acampada, antes de llegar a la fortaleza de Ayriss. La serpiente negra en mi cama... Aún no sabemos quién lo hizo, y el rey no ha hablado del asunto en toda la jornada, pero yo sé que no lo ha olvidado, y quiere asegurarse de que no se repita.

La vigilancia de Kadar hace que el trabajo vaya más despacio, y mi tienda es la última en estar lista. Cuando por fin me dan permiso para entrar en ella, estoy deseando tumbarme un rato y descansar, porque a pesar de que la jornada de hoy no ha sido tan agotadora como otras, cabalgar sigue resultándome muy penoso.

Me sorprende no encontrar a Dunia abriendo mis arcones y preparando mi cama. ¿Dónde se habrá metido?

Estoy a punto de salir a buscarla cuando la cortinilla de la entrada se abre, y una silueta encorvada se recorta a contraluz en el umbral.

—Soy Elia —dice la figura, avanzando un par de pasos, hasta que por fin puedo distinguir su rostro—. Su Majestad me ha pedido que venga. A partir de ahora trabajaré para vos. Seré vuestra doncella personal.

—¿El rey te ha dicho eso? Me alegro, Elia... Pero ¿tú sabes lo que tienes que hacer?

La muchacha se encoge de hombros. Le han puesto un vestido largo de tono anaranjado, con bordados de seda roja y amarilla. Lleva el pelo más limpio, recogido en una trenza que le cuelga sobre la espalda. Ya no parece una criatura salvaje, aunque tampoco tiene el aspecto de una dama de la corte, desde luego.

—El rey me ha dicho que aquí me enseñarán. Que vos me ayudaréis... Y también Dunia.

Se me escapa un suspiro de alivio. No es que Dunia me agrade particularmente, pero me he acostumbrado a ella, y me preocupaba que Kadar la hubiese retirado definitivamente de mi servicio. Supongo que no pretende que Elia la sustituya, solo que se mantenga cerca de mí, observando, por si acaso alguien vuelve a intentar atacarme.

—Ha debido de ser muy duro para ti —le digo a Elia, invitándola a acercarse con un gesto—. Dejar tu aldea de esta forma...

—No, no es duro. Estaba deseando escapar.

Su sinceridad me sorprende.

—¿Tan mal vivías allí?

Ella asiente.

—Mis padres me alimentaban y tenía un jergón donde dormir en su casa. Sin embargo, no me querían. Me tenían miedo. Yo sufría porque quería que me entendiesen, quería hablar con ellos, pero las palabras no me salían con claridad, la lengua no me obedecía, y ellos pensaban que estaba loca. Lo decían delante de mí, como si yo no pudiera entenderlos. Pero los entendía.

—Es terrible.

—Sí, Alteza. Sufría mucho, y no podía escapar. Era como si tuviese telarañas en la mente, no podía pensar con claridad. Todo se hacía un remolino en mi cabeza. A veces intentaba hablar y me salían gritos. Mis padres me ataban. Cada vez lo hacían más a menudo. Llevaba años sin salir de casa, no me lo permitían.

—No obstante, te escapaste...

—Sí. No sé qué pasó. De pronto, supe que el río traía agua, y oí una voz dentro de mí. Me escapé por una ventana. No fue muy difícil. Corrí y corrí hasta que llegué al río. No había estado allí desde pequeña, y entonces estaba seco. Pero cuando llegué... el río traía agua, yo tenía razón. Era algo mágico. Me puse a reír a carcajadas, no podía parar. Y mientras me reía, me desnudé y me metí en el agua. ¡En cuanto el agua me rozó la piel, las telarañas de mi mente desaparecieron! Empecé a recordarlo todo, a ver con claridad. Y entonces dejé de reír. No podía dejar de llorar. No podía.

—¿Por qué? —le pregunto—. ¿Por qué llorabas?

Elia me mira un momento con sus extraños ojos verdes.

—Por mí. Por mi vida perdida, prisionera en esa cabaña. Y también por los otros... Los que son como yo. Pude sentirlos, unidos a mí a través del agua.

Se me acelera el corazón. Creo que presiento lo que va a decirme.

—¿Los otros? —repito en voz baja—. ¿Qué otros?

Los ojos de Elia reflejan el fuego de las velas.

—Los que son como vos y como yo. Hay muchos. Los sentí en el agua. Todos estamos unidos a través del agua.

—¿Dices que hay muchos? ¿Dónde, en tu aldea?

Elia hace un gesto negativo con la cabeza.

—No, en mi aldea yo era la única. Sin embargo, hay otros cerca, en otros pueblos. En Envil, en Niordd, en Sienna. En las cuevas de Siyokoy. Y más lejos, en el puerto... En Lyr, donde están los hombres de los barcos.

—¿Los hombres de los barcos? ¿Quiénes? ¿Tienen manchas como las tuyas?

—No. No como las mías. Son como vos, extranjeros. Hablan con un acento dulce, arrastrando las palabras. Los vi en el agua. Están llamando a los que son como yo. A los malditos. Quieren que nos unamos a ellos.

Me asalta un presentimiento. Esos extranjeros de los que Elia habla... son Ode y sus compañeros. De pronto estoy segura. Hace tiempo que no los veo en mis visiones, pero al parecer Elia sí los ha visto.

Comprendo de inmediato lo peligroso que es todo esto. Elia ha sentido la llamada junto con otros muchos. Son gente como ella, con marcas de nacimiento que de algún modo están relacionadas con las aguas sagradas, y por culpa de esas marcas han vivido como proscritos en sus propias aldeas. Ahora han oído la llamada de Ode. Saben que no están solos, que hay otros como ellos, y por primera vez se sienten fuertes. Las aguas les han devuelto la lucidez, la memoria...

Sin embargo, son decios. ¿Qué harán cuando descubran quién es Ode y para qué ha venido a su país? ¿Decidirán seguirlo de todas formas, o se pondrán de parte de su pueblo? Pienso en lo que ocurriría si Elia le contase todo esto a Kadar. Probablemente ya se lo haya contado. Pero Kadar no sospecha siquiera la existencia de Ode. No creo que se haya tomado demasiado en serio sus palabras.

Dunia entra en la tienda en ese instante, interrumpiendo la conversación.

—Perdonadme, Alteza. Su Majestad quería darme instrucciones sobre la nueva y por eso me he demorado. Elia, a partir de ahora, responderás ante mí. Te enseñaré todo lo que necesitas saber para tu nuevo empleo. No acabo de entender por qué de pronto os hace falta otra doncella, a pesar de que el rey insiste en que tengo demasiado trabajo... ¿Os habéis quejado de mí, Alteza?

—¡Claro que no! —replico indignada—. ¿Cómo puedes pensar eso?

—Perdonadme, es que no me gustan los cambios si no les veo la utilidad —se justifica—. Y además, me dan miedo las brujas —añade, mirando a Elia con aprensión—. Pero, bueno, si el rey cree que ella es de fiar, seguro que es cierto, ¿no creéis, Alteza?

—¡Dunia! No hables así de Elia, no es ninguna bruja. No voy a consentir que se repitan esos insultos, estaré vigilante. Espero que haya quedado claro.

Dunia ejecuta una reverencia que me parece algo burlona.

—Como ordenéis, Alteza —dice—. Su Majestad me ha mandado que os diga que os espera... Quiere que cenéis en su tienda. Sus guardias están fuera, ellos os escoltarán cuando estéis lista.

¿Una cena en su tienda? Kadar no me dijo nada antes. Claro que es su última noche conmigo... Mañana parte hacia Lyr, donde le aguarda su flota.

El puerto de Lyr. ¿No es el mismo lugar en el que, según Elia, están los «extranjeros»? Es decir, Ode...

Una punzada de miedo me atenaza el estómago. No sé si estoy asustada por Ode o por Kadar.

Ode está en Decia por mí. No he vuelto a saber de él en mucho tiempo, pero la visión de Elia confirma mis sospechas. Está esperando, reuniendo fuerzas para enfrentarse con los decios en tierra cuando llegue el momento. Quizá se haya enterado del despertar de los dones en algunos decios de las aldeas por cuyas venas aún corre sangre de los antiguos sirénidos. Quizá esté pensando en reclutarlos para su causa, en organizar una especie de resistencia dentro del país integrada por gentes como Elia. Es muy arriesgado..., aunque podría funcionar.

La cuestión es... ¿quiero que funcione?

Ni siquiera debería hacerme esta pregunta. Ode es de los míos, ha venido para rescatarme. Me trajeron aquí como una cautiva, para usarme contra mi pueblo en la guerra entre Decia e Hydra. Si el rey decidió perdonarme la vida y convertirme en su prometida, fue únicamente porque le convenía. No debo olvidar eso.

Y aun así... Me estremezco solo de pensar en lo que ocurriría si Ode y Kadar llegasen a enfrentarse. Kadar es más fuerte, tiene a todo un ejército de su parte, y está en su territorio. Sin embargo Ode tiene algo que Kadar jamás llegará siquiera a comprender: la magia..., la magia de los dones del agua.

Yo podría compensar eso si quisiera. Si me pusiera del lado de Kadar.

Madre mía, ¿qué estoy diciendo? No puedo ponerme del lado de mis enemigos. Ni siquiera sé por qué se me ha ocurrido. Es un disparate. Es..., es una traición. Una traición a Ode..., aunque no haya traspasado las murallas de mi pensamiento.

No sé cómo he podido pensar una cosa así. Ayudar a Kadar contra mi amigo, que ha arriesgado su vida viniendo a rescatarme. Me odio a mí misma por haberlo pensado.

Quizá es por el cansancio. Estos últimos días han sido agotadores. El esfuerzo en Ayriss para sanar las fuentes, el ritual y las fiestas de celebración cuando terminó, y esta mañana el asunto de Elia, toda esa turba dispuesta a asesinarla...

Estoy confundida, eso es todo.

Nunca debo olvidar quién soy, ni cómo he llegado hasta aquí. Me lo repito mentalmente una y otra vez mientras atravieso el campamento en dirección a la tienda de Kadar. Soy su prisionera, su arma de guerra. No puedo dejarme engañar por sus palabras, ni por la forma en que me mira.

Creo que el rey nota mi cambio de actitud en cuanto me siento a la mesa.

—¿Moira no nos acompaña? —pregunto—. Habría sido una cortesía por tu parte invitarla.

Kadar arquea las cejas, sorprendido.

—La invité, pero me ha enviado un mensaje diciéndome que prefería acostarse temprano. ¿A qué viene ese tono? ¿Qué ocurre?

Suspiro, removiendo con desgana las verduras que acaban de servirme.

—Nada. Solo que estoy cansada. Pero a mí no se me permite decirle que no al rey. No puedo hacer lo que hace Moira.

No se me escapa la expresión dolida de Kadar.

—Lo siento, no pensé que está invitación te fuera tan desagradable —dice con frialdad—. Si lo deseas, puedes volver ahora mismo a tus aposentos. No quiero retenerte a la fuerza.

Levanto la vista del plato y mis ojos se encuentran con los suyos.

—Entonces, ¿puedo irme? —pregunto—. ¿Adonde quiera?

Hacía mucho tiempo que no le hablaba así. Pero ahora mismo no puedo refrenarme. Siento la necesidad de rebelarme... no tanto contra el rey como contra mí misma.

No puedo creer que hace un momento estuviese pensando en traicionar a Ode. Por Kadar. Quizá también..., quizá también por Edan.

Contra eso es contra lo que me estoy rebelando. Kadar, obviamente, no lo sabe.

—No, no puedes irte adonde quieras —me contesta en voz baja—. Lo siento, Kira.

—No digas que lo sientes. No lo sientes en absoluto, al contrario, te encanta. Te encanta tenerme a tu merced, jugar con mis sentimientos y utilizarme como te da la gana para conseguir tus objetivos. Así que no sigas fingiendo... No es necesario.

—No estoy fingiendo —murmura Kadar, mirándome con fijeza—. Nunca he fingido contigo. Creo que me enamoré de ti desde el momento en que te vi, aunque al principio no quisiera admitirlo. Antes o después tendrás que aceptar que esto es real, Kira.

—Sea o no real, no tiene nada que ver con el compromiso ni con la boda. Te habrías casado conmigo de todas formas.

—Sí —el rostro de Kadar se endurece—. Sí, lo habría hecho.

Los ojos se me llenan de lágrimas. No sé por qué, por un momento creí que me iba a responder de otra manera.

—¿Lo ves? —digo—. No soy más que una cautiva. Nunca seré otra cosa, y nada de lo que hagas me hará verlo de otra manera.

Kadar llena su copa de vino. Contempla los matices púrpura del líquido un instante a la luz de las velas antes de bebérselo.

—Piensa lo que quieras —contesta con desgana—. Esperaba que las cosas hubieran sido de otra forma entre nosotros, pero ya veo que estaba equivocado. He sido un tonto..., me he dejado engañar por mis deseos. Creía que empezabas a sentir algo por mí... Sin embargo, si no es así, poco importa. Te guste o no, vas a casarte conmigo. Vas a ser mi reina, así que llora cuanto quieras, porque nada ni nadie lo va a impedir.

CAPÍTULO 7

Kadar se ha ido. Y aunque me cueste reconocerlo, le echo de menos.

La despedida fue fría y formal, delante de todos sus hombres y de Moira. Me besó en las mejillas, me deseó suerte en mi visita a la fortaleza de Akheilos y partió hacia Lyr. Así, sin más.

No me pidió perdón por la forma en que me había hablado en nuestro último encuentro a solas, pero tampoco repitió sus amenazas veladas. Parecía... indiferente. Yo creo que se trataba solo de una máscara. Sus ojos me miraban con una intensidad contenida, como interrogándome.

Desde entonces han pasado seis jornadas de viaje. Hemos dejado atrás la región de los páramos y nos dirigimos hacia la costa. Cada día el aire se vuelve menos áspero, más húmedo. Quizá los demás no lo noten, pero yo sí. Es un alivio para mi piel y para mis pulmones.

Creo que Elia también lo nota, porque en estos pocos días su aspecto ha mejorado notablemente. Ha ganado algo de peso, y sus mejillas se han vuelto levemente sonrosadas. Ya no parece una muñeca de cera con ojos brillantes y aterradores, sino una persona normal... A veces incluso se atreve a sonreír.

Me pregunto hasta dónde llegarán sus dones. Según me ha contado, su madre le explicó en una ocasión que su abuela era como ella. También tenía una mancha de escamas rojas en el antebrazo, y a veces parecía ausente, o perdía la memoria. Pero nunca, que ella supiera, hizo nada que pudiera pasar por magia... Y Elia, hasta ahora, tampoco ha dado muestras de poseer ninguno de los dones de los sirénidos.

Ayer le estuve preguntando a Luther por Elia y los que son como ella. Como Gran Maestre de una orden militar encargada de proteger las fuentes sagradas, pensé que sabría todo lo que se puede saber sobre el tema. Me equivoqué... Fue muy poco lo que pudo decirme sobre el asunto. Claro que tal vez fingiese; quizá sepa más de lo que me dijo. Puede que no quiera compartir esa información con alguien que viene de Hydra.

Una de las cosas que me contó fue que a las gentes como Elia se les conoce en las aldeas decias como «los malditos». El nacimiento de un niño con una mancha de escamas se considera una desgracia para la familia, y desde su infancia se le mantiene prácticamente aislado. A veces la mancha no aparece en los primeros años de vida, sino más tarde. En esos casos, es frecuente que la persona afectada intente esconderla para no sufrir el rechazo de los demás.

En algunas ocasiones, los malditos logran superar todas las barreras con las que se tropiezan desde su infancia y al final son aceptados en su comunidad. Pero la mayoría de ellos no lo consiguen. Sus lagunas de memoria, sus visiones y sus extraños comportamientos hacen que a menudo pasen toda su vida apartados de los demás, y que no lleguen a emparejarse ni a formar su propia familia.

Luther no parecía saber nada sobre posibles «dones mágicos» asociados a los distintos colores de las escamas. Es posible que, en unas condiciones tan hostiles como las que tienen que sufrir los «malditos», los dones nunca lleguen a manifestarse. ¡Qué destino tan diferente al de los nobles hidrios! Si esta pobre gente supiera lo distinta que puede llegar a ser su vida, seguramente cambiarían de bando en esta guerra.

Le hablé a Luther de la posibilidad de estudiar a Elia, de intentar averiguar hasta dónde se asemeja a los sirénidos de mi país, o si posee algún don oculto. Me dijo que le parecía bien, pero que por el momento ese asunto tendría que esperar, porque tenía problemas más urgentes que atender. Le pregunté cuáles eran, pero no quiso concretar. Supongo que no quiere preocuparme...

No obstante, es evidente que tanto él como los otros caballeros de la orden que nos acompañan están nerviosos por algo. Es posible que hayan apresado a algún otro espía merodeando de noche cerca del campamento. O que las patrullas de reconocimiento hayan detectado que alguien nos sigue... A veces, sin previo aviso, la caravana cambia bruscamente de rumbo, o abandona la carretera principal para avanzar por un polvoriento camino secundario. Ayer nos hicieron atravesar un bosque que ni siquiera tenía caminos marcados. La carroza de Moira se bamboleaba peligrosamente sobre la alfombra de hojas secas y nudosas raíces. Moira protestó airadamente, pero luego, cuando hicimos alto al anochecer, vi que Luther iba a su tienda, probablemente para darle explicaciones.

No sé qué está ocurriendo, pero es algo grave. Hoy hemos partido antes del alba, y avanzamos en medio de un extraño silencio. Moira ha abandonado su carroza a un lado del camino. Cuatro soldados la transportan en una silla de manos, y yo cabalgo justo detrás de ella, escoltada por un joven caballero del Desierto llamado Clancy.

Nos estamos aproximando al desfiladero. Es el único paso para atravesar la cordillera del Viento, que ahora mismo nos separa del mar. Se trata, por lo visto, de un profundo cañón excavado por el agua entre las rocas, y por su fondo discurría en otros tiempos el río Akheilos, que nacía en la fuente del mismo nombre. Ahora el cauce está seco, al igual que la fuente. Todos esperan que yo logre sanar sus aguas y resucitar el río, aunque todavía nos quedan tres jornadas de camino hasta llegar a la fuente. Debemos seguir el curso del antiguo río hasta su desembocadura, y desde allí rodear la cordillera por detrás hasta llegar al Pico del Cuervo, donde se encuentra la fortaleza que protege el sueño de las aguas sagradas de Akheilos.

A medida que nos acercamos al paso entre las montañas, el silencio se va haciendo más denso. Solo el sonido de los cascos de los caballos resuena con un eco metálico al rebotar en las paredes de roca. El cielo tiene la forma de un río azul enmarcado por las dos mitades oscuras de la sierra, allá en lo alto.

Un águila planea sobre nosotros, muy arriba, describiendo amplios círculos. Y poco después vemos otra... Tal vez sean buitres.

Avanzamos tan despacio, que el balanceo sobre la silla del caballo casi llega a adormilarme. Se me cierran los ojos...

Me obligo a abrirlos cuando la caravana se detiene bruscamente. ¿Qué ocurre? Hay movimiento delante, en la escolta de Luther. Hasta mis oídos llega una mezcla de voces impacientes que se superponen unas a otras. ¿Están discutiendo?

No tengo tiempo de averiguarlo, porque otro sonido más poderoso invade el desfiladero. Son piedras, piedras gigantes. Ruedan sobre las paredes de roca, resuenan por todas partes a nuestro alrededor antes de abatirse sobre nosotros.

Los caballos se encabritan, miran a todos lados, aterrorizados. Mi yegua está a punto de arrojarme al suelo.

—¡¡¡Emboscada!!! —grita alguien delante.

Se desata un infierno de chillidos, relinchos, golpes y lamentos. Clancy me grita que me lance al galope. Hay que salir como sea de esta trampa.

Delante de mí, los caballos tropiezan unos con otros; algunos han caído heridos por flechas. Nos están disparando desde las rocas... No podría decir si son muchos o pocos los que nos atacan, pero desde luego saben lo que hacen. Ya he visto caer a dos caballeros.

Aun así, seguimos. O al menos, yo sigo... El miedo y la velocidad desdibujan los contornos a mi alrededor, y no oigo nada, solo mi propia respiración y el retumbar de la sangre en mis sienes. Los chillidos, las quejas... me llegan remotas, como a través de un espeso filtro de agua. Todo lo que me rodea son sombras, sombras en movimiento tratando de salvarse, de escapar, lo mismo que yo.

No sé cuánto tiempo transcurre. No puede haber sido mucho, y sin embargo me parece que llevo cabalgando entre las sombras días, años, y nunca se termina...

De pronto sucede algo extraño. Urd, mi yegua, empieza a ir más despacio. Y luego, con una extraña suavidad, se detiene.

Me late tan deprisa el corazón que me hace daño en el pecho. Miro a mi alrededor. Veo destellos, manchas de colores que poco a poco van transformándose en siluetas reconocibles. La más cercana es la que está susurrando al oído de Urd palabras tranquilizadoras.

Se trata de Elia.

Al notar que la estoy mirando, me tiende una mano. Yo me agarro a ella, temblando de pies a cabeza, hasta que algo en su contacto me infunde calma. Me ayuda a desmontar. Las piernas apenas me sostienen.

En los ojos de Elia noto una profundidad que antes no estaba. Son como dos pozos de agua de mar, verde y salina.

—Lo tienes. Tienes el don de la compasión —murmuro—. Lo he sentido al tocarte. Y la yegua también lo ha sentido.

Elia asiente. Ella misma está conmocionada por el descubrimiento.

—Es muy extraño. De repente, fue como si mis sentimientos se fundieran con los de los otros. Casi no podía soportarlo. ¡Le sentí morir!

Se calla. Está muy pálida, pero no parece asustada.

—¿Quién? ¿Quién ha muerto? —pregunto—. Vi caer a dos hombres, ignoro sus nombres.

Las dos miramos a nuestro alrededor. La silla de manos de Moira yace en el suelo, ladeada. A su lado hay un hombre sentado sobre una piedra, lamentándose. Otro se acerca cojeando. Pasa un caballo sin jinete, al trote. Y hay un grupo de soldados formando un círculo de cabezas inclinadas a un lado del camino.

—No sé cuántos han muerto —murmura Elia—. Yo solo lo sentí a él. Logré abrirme paso hasta él: estaba en el suelo, todavía respiraba..., pero ya era demasiado tarde.

—¿Uno de los soldados?

Elia menea lentamente la cabeza.

—No. Era ese anciano, Luther... El Gran Maestre de la orden del Desierto.

CAPÍTULO 8

No puedo creer que Luther haya muerto.

Quien le disparó sabía lo que hacía. La flecha le atravesó la columna vertebral y le seccionó la médula. Hace falta un arquero muy hábil para lograr eso.

Cayeron cinco caballeros más. Podrían haberme matado a mí fácilmente si hubiesen querido. Pero no lo hicieron.

Moira ordenó recoger las flechas para estudiarlas. Los hombres de Luther no habían visto nunca proyectiles así. Yo afirmé que tampoco los había visto.

Mentí... Eran flechas hidrias.

Las astas estaban talladas en hueso de ballena, las puntas eran de acero negro. Y las brillantes plumas de colores que adornaban el extremo posterior, en realidad, eran plumas de ganso decoradas con diminutas escamas.

Normalmente esas flechas solo se utilizan en los torneos de Argasi. No sabía que se usasen también como armas de guerra. En realidad, casi todas las batallas entre Decia y mi isla han sido navales... En esa clase de combates, las flechas no resultan de mucha utilidad.

Lo que no entiendo es cómo han llegado hasta aquí, ni quién ha podido dispararlas. No puede tratarse de Ode..., él no es un arquero, y dudo mucho que sus hombres lo sean. Aunque... ¿quién sabe? A lo mejor han recibido refuerzos de la isla.

Es cuestión de tiempo que los decios averigüen lo que yo ya sé, aunque por el momento están demasiado ocupados con otras cosas.

En la fortaleza de Akheilos nos recibieron con pendones negros colgados a media asta de todas las torres. Los caballeros formaron dos hileras en el patio de armas para arrodillarse al paso del cadáver de Luther. Llevaban corazas negras de cuero y capas plateadas. Resultaba impresionante ver a todos aquellos hombres orgullosos y curtidos en mil batallas de rodillas y con la cabeza inclinada en señal de respeto.

Ayer al anochecer se celebró el funeral. Los hombres entonaron un canto extraño, un canto de guerra, más antiguo que las fuentes y que la orden de los caballeros del Desierto. La fuerza salvaje y triste de la melodía consiguió erizarme la piel. Han venido caballeros de Asura y de las otras fortalezas para el funeral; en total debía de haber más de tres mil cantando en el patio de armas mientras sus capas de plata ondeaban al viento.

El cadáver de Luther ardió en una pira que tres de los guerreros más ancianos prendieron con sus propias antorchas. Mientras el fuego devoraba los restos del Gran Maestre, los hombres permanecieron en silencio. Un silencio que aún resultaba más impresionante que el canto anterior, porque estaba lleno de promesas de venganza.

La pira ardió durante casi dos horas. Yo no me moví de mi puesto en el balcón de la torre sur, desde donde me había tocado presidir la ceremonia junto a Moira y el comandante de la fortaleza, un caballero llamado Delos.

Al final, cuando la pira ya no era más que una pirámide de

brasas, los hombres, sin moverse, empezaron a corear un nombre. Primero casi en un susurro; luego cada vez más alto, más alto; hasta que se convirtió en un grito unánime: Edan. Edan. Edan.

* * *

—Le he escrito —me anuncia Moira, entrando en mi habitación con su tosca silla de ruedas—. Este vacío de poder es peligroso, hay que nombrar al nuevo Gran Maestre cuanto antes.

—¿Has escrito a Edan? —pregunto, siguiéndola.

Aún no me había acostado, pero desde luego no esperaba visitas a estas horas. Los caballeros que han venido de fuera hace tiempo que se retiraron a sus tiendas. Desde la ventana de mi cuarto puedo ver las fogatas de su campamento, en la playa que se extiende más allá de los muros de la fortaleza.

—Me refería a Kadar —explica Moira—. Él es quien debe nombrar al nuevo Gran Maestre, y tiene que hacerlo cuanto antes. Y ya que lo preguntas, también he escrito a Edan, sí.

—¿Y qué le has dicho?

Moira se sacude hacia atrás sus rizos pelirrojos. ¿Son imaginaciones mías, o en su mirada hay un brillo desafiante?

—Le he dicho que tiene que venir. Lo necesitamos.

Intento disimular mi turbación.

—Kadar no lo permitirá. No quiere que Edan participe en... todo esto.

—Dilo claramente. No quiere que Edan se acerque a ti. Está celoso... ¿Crees que no me he dado cuenta?

—Yo... No es culpa mía —murmuro, sin saber qué decir.

—Nadie te está culpando —replica Moira con impaciencia—. Esto ha ido ya demasiado lejos, Kira. Cuando Edan me contó su plan de convertirte en la prometida de Kadar, me pareció una buena idea. No sabía que iba a traernos tantos problemas a todos. No sabía que Edan y tú... —menea la cabeza, disgustada—. Mi hermano no fue sincero conmigo.

—No ocurrió nada —digo en voz baja—. Nada que deba preocuparte.

—No es cierto. Ocurrió lo suficiente. Los dos están enamorados de ti... Es una locura.

—Kadar no permitirá que eso influya en sus decisiones.

—Eso es lo que yo habría pensado, conociéndole. Kadar está hecho para el poder, sabe cómo manejar sus resortes, y también sabe los sacrificios que exige. Y a pesar de todo, se está dejando arrastrar... No puedo entenderlo.

—¿Por qué te preocupas tanto? —pregunto, inquieta—. Hasta ahora no ha tomado ninguna decisión que perjudique a su país, ¿no? Así que no puedes culparme de nada.

Moira me mira sorprendida.

—No te culpo a ti, ¿por qué iba a hacerlo? Pero, respecto a lo que has dicho..., te equivocas. Claro que ha tomado malas decisiones. Prácticamente ha desterrado a Edan, y ahora que nos hace falta... espero que se dé cuenta de que no puede seguir mezclando sus asuntos personales con los intereses del país.

—¿Edan va a convertirse en Gran Maestre?

—¡Claro! Lleva toda su vida preparándose para ese puesto —Moira acerca su silla de ruedas a la ventana, y se queda un momento contemplando en silencio las hogueras del campamento—. ¿No oíste a esos hombres corear su nombre? Se me puso la carne de gallina... Le adoran, serían capaces de morir por él.

—De todas formas... Kadar no va a consentir que participe en esto. Quizá no deberías pedírselo siquiera, lo de que venga aquí...

Moira se vuelve hacia mí y me mira de un modo extraño.

—Edan vendrá de todas formas. Lo conozco bien; ahora que sabe que corres un peligro real, no esperará a recibir la orden de Kadar.

No consigo ocultar mi inquietud.

—Eso puede ser... muy peligroso —murmuro.

—¿Por qué?

Pienso un momento antes de contestar. Quiero elegir bien mis palabras.

—Si Edan viene aquí desobedeciendo las órdenes del rey, Kadar podría considerarlo un desafío.

Moira asiente.

—Justamente. Por eso he escrito también a Kadar, para que comprenda que no debe interpretarlo así. Edan tiene que proteger la curación de las fuentes, es el más indicado para hacerlo. El único con liderazgo suficiente como para ocupar el puesto de Luther.

Se me escapa un suspiro de escepticismo.

—No creo que el rey lo vea de esa manera.

—Yo se lo haré ver. Y aunque al principio se resista, no le quedará más remedio que aceptar los hechos. Edan vendrá porque yo se lo he pedido, eso es lo que le explico en la carta. Kadar entenderá que, si tiene que culpar a alguien, es a mí.

Me inclino sobre la chimenea para remover las brasas y avivar el fuego. La habitación está empezando a quedarse fría.

—Hay algo que no has pensado, Moira —digo, sin volverme a mirarla—. Es posible que Edan no quiera venir.

—¿Por qué no iba a querer? Claro que quiere, lo sabes tan bien como yo.

—No, tú no lo entiendes. Después de todo lo que ha pasado... creo que Edan prefiere evitarme.

Moira aproxima la silla de ruedas al fuego hasta situarse muy cerca de mí.

—Di más bien que tú preferirías evitarlo a él —dice en voz baja.

Tardo un momento en contestar.

—Es cierto. No voy a mentirte, Moira. Tener a Edan cerca... solo complica las cosas. Quizá deberías tenerlo presente antes de enviar esas cartas.

—Ya lo he tenido en cuenta. Aun así le necesitamos, Kira. Nos han atacado, han matado a Luther. No ha sido una pequeña escaramuza con unos bandoleros, ha sido un acto de guerra. Lo tenían perfectamente planeado... Tenemos al enemigo muy cerca, y parece que quiere boicotear lo que estamos haciendo con las fuentes.

—De todas formas, Edan no puede hacer milagros. Si el resto de los caballeros del Desierto no es capaz de protegernos, no veo cómo va a hacerlo él.

—Edan es especial. Es uno de ellos, pero también es un príncipe —dice Moira, y su orgullo de hermana le hace sonreír—. El pueblo lo considera un héroe, después de su largo cautiverio en Hydra. Si hubiese sido Edan en lugar de Luther, no lo habrían matado.

—Entonces... estás diciendo que tú crees que ha sido el pueblo.

La sonrisa de Moira se desdibuja rápidamente.

—No. Yo no he dicho eso. No sabemos quiénes han sido. No sabemos nada. No obstante, también en ese aspecto, Edan nos puede ayudar. Ha estado en Hydra, conoce bien a nuestros enemigos. Si han sido ellos, si están infiltrados aquí..., Edan es el más indicado para combatirlos.

—Te olvidas de que también yo soy una hidria.

—No. Créeme, no lo olvido en ningún momento.

Sostengo su mirada.

—Aunque tengas razón, traer a Edan aquí es un riesgo.

—¿Para quién? ¿Para ti? ¿Para él? Aunque así sea, no me

importa, Kira. Vuestros sentimientos son lo de menos ahora. Ahora, lo que importa es el país. Alguien tiene que pensar en Decia, y si mis hermanos no son capaces...

—Estás siendo injusta con ellos —la interrumpo.

Moira me observa con curiosidad.

—Dime una cosa, Kira. ¿Cuál de los dos es el que te importa a ti? Tengo que saberlo. ¿Es Edan, o es Kadar? A veces, en estas últimas semanas, he llegado a pensar que era Kadar.

—Ninguno de los dos me importa —contesto, y a pesar de que yo misma noto el temblor de mi voz, me obligo a continuar—. Los dos me han utilizado, me han tratado como si fuese un trofeo de guerra. No merecen que me preocupe por ellos. No merecen más que mi desprecio.

Noto el calor en mis mejillas y el escozor de las lágrimas en los ojos. ¿Por qué soy tan estúpida? Esto era lo último que quería; perder el control delante de Moira, llorar como una niña...

Tengo que hacer un inmenso esfuerzo para contener el llanto y dominar el temblor que se ha apoderado de mis labios.

Moira menea la cabeza sin dejar de mirarme. Está sonriéndome, sonriéndome con una sonrisa triste.

—Ay, Kira..., ¿sabes lo que creo? —me pregunta.

Me limpio el rastro de una lágrima antes de responder.

—¿Qué crees? —pregunto a mi vez.

A Moira se le escapa un suspiro.

—Creo que sí que te importan, y mucho. Creo que los quieres... Creo que los quieres a los dos.

CAPÍTULO 9

Moira no sabe nada del amor, está claro. Cree que es un solo sentimiento, cuando en realidad bajo ese nombre se esconde multitud de formas de sentir diferentes.

No voy a negar que todavía siento algo muy profundo por Edan. Sería engañarme a mí misma. Sin embargo, yo no lo llamaría amor. Al contrario. Es rencor, es rabia por la forma en que me traicionó... y, al mismo tiempo, una cierta nostalgia de aquellos días en los que yo aún creía que nuestro amor era posible.

Lo que sí es cierto es que Edan no me es indiferente. He intentado borrarlo de mis recuerdos, lo he intentado con todas mis fuerzas; y ha sido inútil. Muchas noches sueño que estamos juntos en el palacio de Argasi, o en el barco que nos trajo hasta las costas de Decia.

En mis sueños Edan siempre muestra la mejor versión de sí mismo. Siento que me quiere... Son sueños crueles, porque al despertar tengo que volver a la realidad. Es duro aceptar que, probablemente, ese Edan sincero y enamorado de mí no haya existido nunca fuera de mi imaginación.

En cuanto a Kadar..., tampoco él me es indiferente, pero desde luego no creo que mis sentimientos hacia él puedan considerarse «amor».

Me atrae, lo reconozco. Su estatura y su aspecto atlético me infunden seguridad. Sus facciones irradian fuerza, poder. Cuando entra en una sala de palacio, es como si entrase el sol... Todos los presentes se sienten atraídos por él, y empiezan a girar a su alrededor como planetas atrapados en su campo gravitatorio. Que un hombre así se esfuerce por ganarse mi amor me resulta... halagador, sí, esa es la palabra.

Por otro lado, no puedo olvidar las humillaciones a las que me sometió cuando llegué a su corte. A veces, admito que disfruto vengándome un poco de él por aquellos episodios. Cuando le veo confuso, impaciente, sin saber cómo actuar conmigo, probando mil tácticas que un momento después abandona para acercarse a mí, no puedo negar que siento cierto placer.

Kadar nunca me ha llegado a importar tanto como Edan, y sin embargo, si ahora mismo me dieran a elegir, preferiría sin duda alguna estar con Kadar. Tener que convivir con Edan va a resultar una tortura para mí, mientras que con el rey he llegado a encontrar la forma de dominar las situaciones, y esa sensación de control me gusta. Aunque es verdad que, justo antes de su partida, por primera vez dejé que se cambiasen las tornas, que él llegase a afectarme, y perdí el dominio de mí misma... Me pregunto si llegó a darse cuenta.

En todo caso, esta espera es angustiosa. Decida lo que decida Kadar, se avecinan tiempos difíciles. Si Edan viene a Akheilos y nos acompaña como hasta ahora lo hacía Luther en los rituales de las fuentes, tendré que acostumbrarme a su presencia, y no va a resultarme nada fácil. Por otro lado, si no viene..., una parte de mí lo lamentará, y además, toda mi obra aquí correrá peligro... Tal vez ni siquiera pueda concluir con mi recorrido de las fuentes sagradas.

Para terminar de complicar las cosas, hoy he hecho un extraño descubrimiento. Fue por la mañana, mientras paseaba con Elia por un huerto adosado a la muralla de la fortaleza en el que los caballeros cultivan sus frutas y hortalizas. Elia caminaba a mi lado, cabizbaja, como tiene por costumbre, sumida en sus propios pensamientos. Y de pronto, al mirarla, por un instante tuve la sensación de que nuestras mentes se unían y de que podía ver en su interior. Duró apenas unos segundos..., pero fue muy revelador.

Ella también sintió ese vínculo repentino entre nosotras. Me miró de soslayo. Probablemente se estaría preguntando si yo lo había percibido.

—Allá, en el desfiladero... tú viste algo más —digo, deteniéndome y mirándola a los ojos, para que no se me escape ninguna de sus reacciones—. Estás ocultando algo.

Elia baja los ojos rápidamente.

—Yo... No es cierto, no vi nada.

Sigo mirándola, mientras los pensamientos que no quiere dejar escapar a través de las palabras se cuelan en mi mente.

—No viste nada. Sí, dices la verdad... No lo viste: lo sentiste. No por eso es menos grave.

—No..., no puedo ir hablando de las cosas que siento como si fueran pruebas de algo. Esto es nuevo para mí, esto de sentir lo que otros sienten. Compartir las emociones... a veces me da miedo. Es como espiar dentro de la mente de otra persona. Vos debéis de saber de qué hablo, porque parece que tenéis el mismo don.

—No... No creo que lo tengamos de la misma manera —contesto pensativa—. Yo solo he sentido esta clase de unión contigo, que tienes el don de la compasión. En tu caso, es el don que te corresponde, no hay duda. El color rojo de esas escamas que tienes en la piel lo demuestra. En cambio, en mi caso la cosa es más compleja. Ni yo misma lo entiendo todavía... Creo que cada una de esas fuentes, al sanar, me regala una pequeña parte de sus virtudes. En la de Lugdor fue la videncia, y en Ayriss la compasión. No es el don completo, sino una pequeña fracción de ese poder. Aun así... es maravilloso y, a la vez, desconcertante.

—¿En Lugdor recibisteis el don de la videncia? —me pregunta Elia, visiblemente interesada—. ¿Y qué fue lo que visteis?

—Yo... vi a un amigo, a alguien a quien no había visto en mucho tiempo. Solo duró unos segundos.

—¿Un amigo vuestro de Hydra? ¿Y estaba aquí?

Comprendo que no debo dar demasiadas explicaciones. Probablemente ya he hablado demasiado.

—No sé dónde estaba. La visión no era clara. Y no ha vuelto a repetirse.

Me muerdo el labio inferior, porque he advertido demasiado tarde que mi mentira resulta completamente inútil. Elia se ha colado en mi mente justo en el instante en el que estaba pensando en Ode. Es posible que lo haya visto..., que haya tenido una visión de Ode y de sus compañeros a través de mi visión.

Por supuesto, si es así, se guarda mucho de contármelo.

—Ojalá este poder pudiese activarse y desactivarse a voluntad —dice, sonriendo casi como si se disculpara—. Pero no es algo voluntario, no puedo controlarlo.

—Lo entiendo —le aseguro en tono tranquilizador—. Deberías empezar a entrenarte para llegar a conseguirlo. Me refiero a ese dominio de tu don... En Hydra las gentes que tienen un don se entrenan durante años hasta dominarlo.

—Pero yo no sabría cómo entrenarme. Quizá vos podríais ayudarme, Alteza.

—Tal vez. No poseo tu don realmente, ya te lo he dicho, pero sí conozco algunas técnicas para despertar el poder dormido de las aguas en tu interior. Podrían servirte.

—Entonces, ¿me vais a enseñar? —pregunta Elia sonriendo con timidez.

—Lo intentaré, aunque no te prometo nada. Y ahora, volviendo a lo del desfiladero... Sé lo que sentiste, Elia, porque por un momento lo he sentido yo también, pero no sé cómo interpretarlo.

—¿Cómo lo llamaríais vos, a lo que capté?

—Creo que... falsedad. Captaste algo que no era lo que parecía. Una pretensión de engaño. Pero ¿sobre qué? ¿Lo sabes?

—Más o menos. Tengo una sospecha. Cuando vi la flecha que arrancaron del cuerpo de Luther... vos supisteis de inmediato que era una flecha hidria, aunque no dijisteis nada.

—No estaba segura —admito, enrojeciendo—. Y no quería preocupar más aún a Moira... Ya ha sido todo suficientemente difícil.

—Ya. El caso es que... el engaño estaba justamente ahí, en la flecha.

—¿Qué quieres decir? ¿No eran flechas hidrias?

Elia hace una mueca ambigua.

—No lo sé. Solo sé que querían que pareciesen flechas hidrias.

—O sea, que eran decios.

—Es posible. No podría afirmarlo con total seguridad —murmura Elia, disgustada consigo misma por su incapacidad para contestar satisfactoriamente a mis preguntas—. Lo único que sé es que había mentiras en esas flechas.

—Eso ya es mucho, Elia. Y si pudieras...

Me interrumpo a mitad de la frase cuando veo a Esther, la doncella de Moira, venir hacia nosotras corriendo y con el vestido recogido.

—¿Ocurre algo? —le pregunto cuando se detiene ante nosotras, jadeante.

—Sí... Mi señora me envía a deciros que han llegado noticias de Kadar. Todo el mundo las conoce ya, porque se han hecho públicas. Los caballeros están furiosos. Han convocado un cónclave para esta misma tarde.

—¿Qué ha pasado? ¿Es por Edan? No va a venir, ¿verdad?

—No es eso. Mi señora Moira me ha dicho que su hermano Edan ya está en camino y que llegará dentro de tres o cuatro días. Pero el rey no le ha nombrado Gran Maestre. Ha elegido a otro caballero: a Cyril.

—¿A Cyril? —pregunto, aturdida—. ¿Y quién es Cyril?

—Eso mismo nos preguntamos todos —contesta Esther sin esconder su indignación—. Cyril no es nadie... Nadie que se pueda comparar con Edan. El rey ha ido demasiado lejos, todos lo dicen. Y también dicen que se arrepentirá.

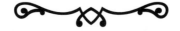

CAPÍTULO 10

El descontento que ha provocado en la fortaleza la decisión del rey casi me da miedo.

La noticia llegó antes de que los destacamentos de caballeros de otros puntos del país que habían acudido al funeral de Luther levantaran su campamento. Es como si Kadar lo hubiera hecho a propósito, para provocarlos. Están furiosos... Nadie quiere aceptar el nombramiento de Cyril, un joven inexperto que recibió hace apenas medio año la comandancia de la fortaleza de Silar, en el Desierto Interior.

Desde que se difundió el rumor no han cesado de producirse idas y venidas entre el campamento y el castillo, reuniones secretas y no tan secretas, envíos de mensajeros..., y lo más preocupante es que han empezado a llegar más caballeros, muchos de ellos directamente desde Asura. ¿Qué es lo que les ha movido a venir, ahora que el funeral de Luther ya ha concluido?

Todos conocemos la respuesta: Edan.

Saben que está en camino, y que no tardará en llegar. Y están reuniéndose aquí para escucharle, para recibir sus órdenes. A una palabra suya, se rebelarán. ¿En qué estaba pensando Kadar cuando empezó todo esto? Una rebelión de sus principales aliados en la guerra contra Hydra... ¿Es que no se da cuenta de que es lo que menos le conviene?

Ni siquiera sé por qué me preocupo tanto. No es mi problema. Incluso debería alegrarme: cuanto más divididos estén los decios, mejor para mi país. ¿Por qué, entonces, me siento tan mal?

Quizá sea porque cada vez me cuesta más recordar Hydra como mi hogar.

Al fin y al cabo, allí no era más libre que aquí. Desde el momento en que se descubrió mi don, mi destino dejó de pertenecerme. Me llevaron a Argasi, me sometieron a una disciplina de hierro para convertirme en el menor tiempo posible en un arma mortal contra los decios. Si Edan no me hubiese raptado, ¿qué habría sido de mí? Probablemente se habrían salido con la suya, y ahora yo no sería más que una criatura medio humana, atrapada permanentemente en un palacio de cristal submarino.

Eso no significa que tenga motivos para estarles agradecida a los decios. Sin embargo, tampoco puedo alegrarme por sus desgracias.

El problema es que, en medio de tantas convulsiones, todos aquí pueden elegir de qué lado están. Todos menos yo.

Porque, elija lo que elija, seguiré siendo una prisionera. Mi vida y mi destino seguirán dependiendo de otros. De Edan o de Kadar..., ¿qué importa? Ninguno de los dos me devolverá la libertad.

Aunque quizá...

Edan ha sacrificado muchas cosas por su hermano y por su país. Entre ellas, renunció a mí. Ahora que Kadar le ha demostrado su ingratitud, es posible que se arrepienta de sus decisiones. Tiene todos los motivos del mundo para rebelarse contra el rey. Tiene un ejército de caballeros a su disposición, esperando órdenes. Con su ayuda, podría derrocar a su hermano y convertirse en el rey de Decia.

Y entonces, tal vez...

Él me amaba. Me lo dijo muchas veces. Me dijo que, si de él dependiera, si no hubiese nada más en juego, lo dejaría todo para estar junto a mí.

Si Kadar dejase de ser un obstáculo, nada se interpondría entre nosotros. Edan podría convertirme en su reina, y entre los dos forjaríamos una paz duradera entre nuestros países.

Me pregunto si él también habrá pensado en esa posibilidad. Tengo que saberlo...

En cuanto llegue, lo averiguaré.

* * *

Ya está aquí. Elia vino a decírmelo a mi habitación, donde llevaba encerrada todo el día. Moira ha decidido que, dada la irritación de los caballeros contra Kadar, es mejor que me vean lo menos posible. Alguno de ellos podría tener la tentación de vengarse del rey haciendo daño a su futura esposa. Los caballeros del Desierto no son salvajes, al contrario: se someten a una dura disciplina, y saben dominarse. Aun así, es preferible evitar cualquier incidente.

En cuanto Edan llegó, lo primero que hizo fue reunirse con su hermana. Pensé que después vendría a verme, pero no lo hizo. Según me ha dicho Elia, el comandante de la fortaleza lo estaba esperando para una reunión de urgencia con todos los mandos de los destacamentos acampados más allá de la muralla. Llevan toda la tarde recluidos en la sala capitular. Hace un rato, cuando pasé por el claustro, pude oír sus voces. No me detuve a escuchar, porque no quería que nadie me descubriera espiando.

Lo que he hecho es una locura, pero ya no puedo volverme atrás. Además, antes o después tenía que ocurrir. Y no puedo seguir esperando a que otros tomen las decisiones por mí. Necesito saber lo que piensa Edan, necesito saberlo cuanto antes.

Por eso me he colado en sus apartamentos privados sin ser vista.

Ha sido más fácil de lo que pensaba. Elia me ha ayudado. Es la única que sabe que estoy aquí. Utilizó su don para comprobar que el camino estaba despejado y me guio hasta la misma puerta de Edan. Le he dicho que todo esto es idea de Moira, que la princesa quiere que nos reunamos los tres en secreto en la habitación de su hermano. He conseguido dominar mis pensamientos mientras hablaba para que Elia no pudiese captar la falsedad de mis palabras. Y creo que ha funcionado... De todas formas, Elia es tan inocente que mi precaución seguramente era innecesaria.

Llevo mucho rato esperando en la oscuridad. Hace tiempo que anocheció, y el único foco de luz en la estancia es el fuego que arde en la chimenea. No me he atrevido a encender ninguna vela. Alguien podría ver el resplandor desde el patio de armas y hacerse preguntas.

Los brazos y las piernas se me han quedado agarrotados de esperar acurrucada en el suelo. Tengo la boca seca, necesitaría beber algo.

Sobre todo, tengo miedo... Miedo de estar cometiendo una locura.

Cuando oigo girar el picaporte de la puerta, me estremezco de pies a cabeza. Me pongo en pie.

Edan no me ve, al principio. Entra ligeramente encorvado y arroja la capa sobre la cama. Empieza a desvestirse mirando al fuego...

Y de repente se vuelve bruscamente y me ve. Se lleva la

mano al puño de la espada. Va a desenvainar... No; me ha reconocido.

Pero no se me acerca. No corre a besarme y a estrecharme entre sus brazos, como yo había imaginado. En lugar de eso, se queda quieto, mirándome..., mirándome sin decir nada.

No sé qué hacer. Esperaba otra reacción. Avanzo un par de pasos hacia él, insegura.

—Edan —murmuro—. Te estaba esperando.

Avanzo un paso más, pero él me hace un gesto para que me detenga.

—¿Qué haces? —pregunta, en un tono que casi no reconozco—. No deberías estar aquí.

Retrocedo instintivamente. ¿Por qué me hace esto? ¿Por qué?

—Solo quería hablar contigo un momento —me justifico. El tono de mi voz es implorante, y me odio por ello—. No te entretendré mucho..., lo prometo.

Un suspiro. Un suspiro de resignación... ¿Es eso?

Luego se inclina sobre el fuego. Tiene un candelabro en la mano y acerca las velas a la hoguera para encenderlas.

Cuando coloca el candelabro sobre el escritorio, puedo al fin ver su rostro.

Está muy pálido. Parece mortalmente cansado. No sé descifrar su expresión, pero una cosa es segura..., no se alegra de verme.

Sin embargo, hace un esfuerzo por mostrarse amable.

—¿Cómo estás, Kira? Me han contado lo de las fuentes de Ayriss. Todos te admiran, están maravillados contigo... Te dije que ocurriría.

—Kadar no te ha nombrado Gran Maestre —contesto a bocajarro—. ¿Por qué?

Una sonrisa irónica aflora a sus labios.

—No lo sé. Nadie lo sabe. ¿Quizá por ti?

Me alegro de que sea tan directo. Eso me facilitará las cosas.

—Probablemente —contesto, ganando un poco de confianza—. Tiene celos. Nunca pensé que se dejara arrastrar por ellos como lo ha hecho, pero supongo que sus sentimientos son más fuertes de lo que me imaginaba.

—Yo tampoco creí que se dejase arrastrar por..., pero no importa. Es tarde, Kira, deberías irte a dormir.

—No. Tienes que escucharme. ¿Te acuerdas de cuando te colabas en mi dormitorio, Edan, allá en Argasi?

Él asiente con la cabeza. Sus hombros se encorvan un poco más.

—Parece que hace una eternidad de aquello —murmura.

—A mí no se me ha olvidado. Ahora la situación es diferente, ¿ves? Ahora soy yo la que se cuela en tu dormitorio.

—Sí. Y no deberías. Si el rey se enterara...

—¿Y qué importa lo que piense el rey? —estallo, incapaz de contener mi frustración—. No le debes nada, y yo tampoco. Me ha humillado delante de todo el mundo, me trata como... como si fuese su esclava.

Por primera vez, un destello le atraviesa la mirada.

—¿Ha vuelto a hacerte daño? —me pregunta—. Si lo ha hecho...

—¿Cambiaría eso las cosas?

Le veo debatirse consigo mismo, luchar contra sus sentimientos.

—No te preocupes, no me ha hecho daño —digo, para que no siga atormentándose—. Pero eso tú no lo sabías cuando me arrojaste a sus pies. Es un hombre despiadado, Edan. Y tú me entregaste a él como si..., como si no te importase lo que pudiera pasarme, como si yo no significara nada para ti.

Silencio. Un silencio que se me hace eterno.

—Quizá es que no significo nada para ti —murmuro, al ver

que no tiene intención de contestar—. A pesar de todo lo que me dijiste.

—No es eso. Conozco bien a mi hermano, Kira. Sabía que se enamoraría de ti, que caería rendido a tus pies.

—Ya. Era el plan perfecto.

—Kadar es despótico y cruel a veces, pero tienes que darle una oportunidad. Ha demostrado que está loco por ti. Lo bastante loco como para arriesgarse a provocar una guerra civil con tal de asegurarse de que le eliges a él.

Le miro sin comprender.

—¿Qué estás diciendo? Él no quiere que elija, al contrario. Quiere apartarte de mí para siempre.

Edan me observa con una mezcla de tristeza e ironía en su semblante. Después, sin dejar de mirarme, menea lentamente la cabeza.

—Si quisiera apartarte de mí, no me habría ordenado que me convirtiese en tu escolta. Cómo se nota que no lo conoces, Kira. Todo esto, el nombramiento de Cyril cuando todavía está caliente la pira funeraria de Luther, la orden de que venga a Akheilos cuando toda la hermandad del Desierto se encuentra reunida aquí, y furiosa con él por su decisión... ¿No ves lo que se propone?

—Sí, está claro: humillarte...

—No, Kira. Quiere darme la oportunidad de que me rebele, de que luchemos de igual y igual. Por ti... Para que tú puedas elegir.

Me vuelvo bruscamente hacia la ventana para ocultar mi turbación. No puede ser; no puede ser cierto... Y sin embargo, la explicación de Edan tiene sentido.

—¿De verdad crees que es eso lo que quiere? ¿Que yo pueda elegir? —pregunto, mientras mis ojos vagan sobre el enjambre de antorchas que van y vienen por el patio de armas.

—Estoy seguro. Lo conozco bien: no podría vivir con la

idea de que estás a su lado solo porque no tienes elección. Quiere conquistarte, pero conquistarte de verdad..., saber que eres completamente suya porque tú lo has querido así.

—Ya —me vuelvo hacia él—. Pues no es eso lo que quiero.

Edan me sostiene la mirada. Había olvidado lo peligrosos y dulces que son sus ojos.

—Tal vez no ahora —dice, y por primera vez la voz le tiembla ligeramente—. Pero cambiarás.

—No. No cambiaré. Dices que Kadar quiere darme la oportunidad de elegir, ¿no? Pues ya he elegido. Te elijo a ti.

—Kira...

No sé qué extraña locura se apodera de mí. De repente ya no tengo miedo. Recorro la escasa distancia que nos separa y rodeo su cuello con mis brazos.

—Está hecho —le susurro al oído—. Ya he elegido... Kadar tendrá que aceptarlo.

Una alegría salvaje transforma el rostro de Edan. Nunca había visto en sus ojos una expresión tan sombría... y, al mismo tiempo, tan feliz.

Me rodea con sus brazos, me besa como si una sed inagotable le impidiese separar sus labios de los míos. Me aprieta contra él hasta que apenas puedo respirar.

No puedo creerlo. Ha sucedido... ¡Está sucediendo!

Y de pronto se separa de mí. Se aparta de mí como si mi piel le quemase.

—No —murmura—. No puedo. No podemos hacer esto. Perdóname, Kira.

Es como si la tierra se abriese bajo mis pies.

CAPÍTULO II

No recuerdo cómo logré volver a mi habitación anoche. Edan no me ayudó, de eso estoy segura.

Esta mañana, cuando intenté levantarme, la habitación empezó a dar vueltas a mi alrededor y me caí al suelo. Traté de arrastrarme hasta la cama, pero no podía moverme. Cada vez que abría los ojos, un torbellino de imágenes girando a toda velocidad me envolvía y tenía que cerrarlos de nuevo para detenerlo.

Permanecí en el suelo hasta que Elia entró a traerme el desayuno. La oí gritar, y acto seguido, el ruido de la bandeja de plata al chocar contra el suelo y de las tazas y los platos al romperse en pedazos. Pero ni siquiera fui capaz de levantar la cabeza para mirarla. Debió de correr a pedir ayuda, porque unos minutos más tarde regresó acompañada de un par de guardias y de Esther, la dama de Moira.

Los soldados me levantaron del suelo y me dejaron en la cama. Lo hicieron con cuidado. Aun así, el traslado bastó para desatar de nuevo aquel remolino insoportable dentro de mi cabeza. Creo que me quejé. Alguien me puso una mano en la frente y la mantuvo allí durante unos instantes.

—Tiene mucha fiebre —era la voz de Elia, muy alterada—. Deberíamos avisar a la princesa Moira.

—No, ahora no —replicó Esther—. Su hermano está a punto de dirigirse a la multitud en el patio de armas y tiene que aparecer a su lado. Más tarde, cuando todo termine.

—Está muy mal... —la voz de Elia temblaba de ansiedad—. ¿Qué le habrá pasado? Ayer estaba completamente sana.

—El médico no tardará en llegar, ya está avisado —dijo Esther—. ¿Por qué no empapas este pañuelo en agua y se lo pones sobre la frente? Hay que bajarle la fiebre.

Durante un buen rato no dijeron nada más. O quizá siguieron hablando, pero yo perdí el conocimiento; no estoy segura... Lo único que sé es que, cuando volví a abrir los ojos, el médico de Moira estaba inclinado sobre mí, tomándome el pulso. El anciano me sonrió, visiblemente aliviado.

—Ya reacciona —dijo—. Justo a tiempo... Kira, despertad, os lo ruego. Debéis hacer un esfuerzo para no volver a dormir, es importante.

Intenté complacerle, pero mi cuerpo no me obedecía, y a pesar de mis esfuerzos por mantener los ojos abiertos, todo volvió a sumirse en un silencio negro, sin que yo pudiera hacer nada por impedirlo.

Cuando recuperé la conciencia, la luz había cambiado. Una vela ardía sobre una mesilla al lado de la cama. Intenté incorporarme: ya no me daba vueltas la cabeza, pero el dolor era insoportable, como si un millón de agujas me estuviese perforando el cráneo al mismo tiempo.

Oí un crujido de sedas sobre las tablas de madera del suelo. Un instante después, Elia se sentó a los pies de mi cama. Llevaba un sencillo vestido rojo, y los cabellos recogidos sobre la nuca.

—¡Kira! Alteza, por fin... ¡Estaba muy preocupada!

—¿Qué..., qué hora es? —pregunté, luchando con la sequedad de mi lengua para pronunciar cada palabra.

—Tarde, está anocheciendo. Tengo que avisar a la princesa Moira, me pidió que la llamase en cuanto hubiese algún cambio. ¿Queréis algo de comer? Estaréis hambrienta, no habéis probado bocado en todo el día.

—No tengo hambre. Solo necesito beber agua.

Elia se levantó a servirme un vaso de agua de la jarra de porcelana que había sobre el arcón.

Después de beber, tuve la sensación de que los pinchazos de dolor en mis sienes se debilitaban un poco.

Elia me sujetó el vaso para devolverlo a su sitio. Al ver que se dirigía a la puerta, la llamé.

—Espera, no avises todavía a Moira —pedí, incorporándome sobre la almohada—. Antes quiero que hablemos. ¿Qué pasó esta mañana? Oí que Edan iba a hablar a sus hombres.

—Sí. Fue muy extraño. Los caballeros estaban eufóricos, creo que esperaban algo muy distinto de lo que les dijo. Me da la sensación de que su discurso no ha gustado mucho por aquí... La mayor parte de los escuadrones que habían venido para el funeral ya se ha ido.

—¿Qué les dijo, lo sabes?

Elia volvió a sentarse en la cama, algo más cerca de la cabecera para que pudiese verla.

—Yo no estaba presente, no me he apartado de vos desde que os encontré en el suelo, esta mañana. Pero Esther me lo contó. Por lo visto, les dijo que debían aceptar a Cyril como nuevo Gran Maestre, que él sería el primero en acatar sus órdenes y en servir al país bajo su mando.

Acudieron a mi mente imágenes de nuestro encuentro en su habitación, de la forma en que nos besamos... y de como él, después, se apartó de mí.

—Prácticamente ha obligado a su orden a aceptar la decisión de Kadar —murmuré.

—Eso dicen, sí. Muchos caballeros están descontentos. Esperaban una rebelión o algo así, una guerra abierta entre los dos hermanos. La que está encantada, en cambio, es la princesa Moira. Eso es lo que me ha dicho Esther, su doncella.

—Están descontentos, pero no van a hacer nada, ¿verdad? —pregunté con un hilo de voz.

—No creo. No sé mucho sobre los caballeros del Desierto. Por lo que me han dicho, tienen a Edan en mucha estima y lo consideran su auténtico jefe, a pesar de que el rey no le haya nombrado Gran Maestre. Así que supongo que harán lo que él les diga.

—Kadar estará contento —dije sin ocultar mi frustración—. Ha conseguido exactamente lo que quería.

Elia me asió de la mano. Me miró muy seria.

—¿Y vos no? —preguntó con suavidad—. Sois su prometida.

Por un momento, se me ocurrió contarle a Elia la verdad. Al fin y al cabo es mi dama de compañía. Yo le salvé la vida y le di un nuevo futuro, lejos de la aldea donde desde pequeña la habían maltratado. No creo que me traicionase aunque se lo pidiesen.

Sin embargo, debo ser cauta. Aunque Elia no quiera perjudicarme, se le podría escapar algún comentario delante de las otras damas, alguna observación... Comprendí que era mejor no correr riesgos.

—No sé mucho sobre la política de Decia —repliqué, intentando sonreír—. Así que no puedo opinar sobre las decisiones del rey o de su hermano.

Elia asintió y me devolvió la sonrisa. Luego, recordando algo, se volvió hacia la puerta.

—Perdonad que insista, Alteza, pero debo ir a avisar a la princesa Moira de que habéis despertado. Está muy preocupada por vos. Intentó convencer a su hermano de que retrasara el ritual, pero por lo visto él no quiso escucharla.

—¿El ritual de las aguas? ¿Ya han fijado una fecha?

—El Maestre Edan anunció ante todos sus caballeros que el ritual tendría lugar pasado mañana. Algunos comandantes de otras fortalezas habían expresado su deseo de quedarse a presenciar la ceremonia, pero él les dijo que esta no sería pública. Creo que lo ha hecho para que regresen a sus puestos lo antes posible... Y ha funcionado.

La indignación se apoderó de mi voz.

—¿Quién se cree que es para decidir la fecha del ritual? —dije, temblando de ira—. No depende de él, sino de mí. ¿También en eso pretende darme órdenes? Ni siquiera su hermano se ha atrevido a tanto.

Elia me miró asustada.

—Si estáis enferma, estoy segura de que se podrá posponer. La princesa Moira le avisó de lo mal que os habíais despertado, aunque, según me contó Esther, él no quiso atender a razones. Sin embargo, cuando el médico le explique la gravedad de vuestro estado...

—Es igual —la interrumpí con aspereza—. Si quieren que el ritual se celebre dentro de dos días, que así sea. Y si sale mal, peor para ellos... A mí me importa muy poco lo que pueda ocurrir.

* * *

La verdad es que lo que le dije a Elia no es del todo cierto.

Ahora que ha llegado el momento y que estoy aquí, en la gruta del acantilado, preparada para el ritual, deseo con toda mi alma que las aguas respondan a mi llamada.

Está dentro de mí, no es algo que yo pueda controlar. No se trata de ayudar a los decios, sino de devolver el equilibrio perdido a esta tierra, de curar sus heridas. Quiero hacerlo, a pesar de lo débil que me siento aún, y de que una parte de mí desearía rebelarse contra el despotismo de Edan.

Se encuentra aquí, a mi lado. Su semblante es una máscara impenetrable. Una máscara de facciones perfectas... que no reflejan ningún sentimiento.

Solo nos acompañan otros cuatro caballeros. Al menos, esta vez el ritual no va a convertirse en un gran espectáculo.

Podría no hacerlo, si quisiera. Podría fingir que lo intento sin intentarlo realmente, y decir luego que las aguas no me responden, que me encuentro demasiado débil para intentar un despliegue de mis dones como el que me exigen. De esa manera ganaría algo de tiempo, pero ¿tiempo para qué? ¿Para retrasar mi boda con Kadar y permanecer más semanas al lado de Edan, yendo de una fuente sagrada a otra? No quiero eso; ya no. Puesto que él ha demostrado lo poco que valora estar conmigo, yo tampoco deseo estar con él.

Cada vez que le miro no puedo dejar de pensar en la escena en su habitación; en cómo por un instante llegué a pensar que era mío, que lo tenía a mis pies... y en la humillación que vino luego. Jamás olvidaré la forma en que se apartó de mí.

Aun así, no me arrepiento de haberlo intentado. Si no lo hubiera hecho, habría seguido engañándome a mí misma, diciéndome que, a pesar de todo lo que ha ocurrido entre nosotros, a Edan le sigo importando. Ahora sé la verdad: tal vez le importo, pero no lo suficiente. Siempre habrá para él algo más importante que sus sentimientos hacia mí: este país, su hermandad, su lealtad al rey... y, sobre todo, su orgullo.

Aceptar la verdad no es fácil: es como salir de un confortable refugio a la intemperie en un día de nieve. Resulta duro, aun siendo la única forma de sobrevivir cuando el refugio amenaza con derrumbarse y aplastarte bajo sus escombros. No se puede vivir eternamente dentro de una mentira.

Bueno, ya estoy fuera: a la intemperie. Me basta con mirar a Edan, la serena indiferencia de su rostro, para comprender que no hay vuelta atrás. He de pasar página y seguir con mi vida... No obstante, ¿hacia dónde? ¿En qué dirección? Esa es la pregunta que tengo que hacerme a mí misma.

Lo único que me queda es el vínculo que me une a las aguas. Necesito invocarlas, saber que todavía pueden oírme. Están ahí abajo, dormidas, esperando mi llamada.

La gruta es una sala de paredes húmedas y blancas como el mármol. En el centro hay un pozo redondo, muy profundo. Cuando me asomo, veo al fondo el agua intensamente azul, como si estuviese iluminada por una luz interior.

¿Qué misterio encierran esas aguas? ¿Qué secreto poder late dentro de ellas? Eso es lo que debo descubrir. Y para ello, necesito interrogarlas a través de mi don. Necesito fundirme con ellas, a pesar de que no están aquí, sino allá abajo, separadas de mí por una espesa capa de roca.

Esto no me había ocurrido nunca. La metamorfosis ha comenzado sin el menor contacto con el agua. Yo la he comenzado. Ha bastado una orden de mi voluntad para que los dedos de mis manos se deshiciesen en surtidores transparentes que vierten sus gotas sobre el pozo igual que una fina lluvia.

Abajo, el agua recibe al agua y escucha su voz. Un rumor de corrientes subterráneas retumba en las paredes de piedra de la gruta. Ya está. Están despiertas, vienen hacia nosotros. Vienen con tanta fuerza que podrían hacer estallar las bóvedas para encontrar una salida al aire libre.

No me importa. Cuando una tromba líquida irrumpe en la gruta y los hombres de Edan empiezan a gritar, me digo a mí misma que no me importa. Ellos lo han querido, ¿no? Solo estoy cumpliendo sus órdenes. Si no pueden resistir la fuerza del agua, ¿acaso es culpa mía?

Los veo perder pie, hundirse en las aguas milagrosamente azules que han comenzado a girar a mi alrededor como si yo fuera su centro de gravedad, el impulso de su movimiento. Edan es el último en caer. Las aguas se lo tragan en silencio.

Podría dejar que muriese. ¿Por qué no? Ha destrozado mi vida. Se merece morir.

A pesar de todo, no quiero que ocurra. Su muerte no arreglaría nada. No me devolvería la fe ni los sueños que él ha destruido.

Y además, están los otros...

Casi sin pensar, ordeno a las aguas que retrocedan. El remolino líquido detiene su vertiginosa corriente, el agua empieza a filtrarse a través de las rocas, a buscar una forma de salir. Los hombres emergen a la superficie, tosiendo, escupiendo, profiriendo maldiciones. Uno tras otro. También él...

Si yo hubiese querido, ahora mismo estaría muerto.

CAPÍTULO 12

Han pasado dos semanas desde el ritual de la fuente, pero aún seguimos en Akheilos.

Por lo visto, nuestro próximo destino es la fortaleza de Hebe, a unas doscientas millas al oeste. En los viejos tiempos, antes de que las fuentes sagradas se secasen, Hebe era el centro de una próspera industria de tejidos de seda. Cuando la fuente murió, las moreras de las que se alimentaban las orugas de la seda se marchitaron, y toda la región se hundió en la miseria. Los caballeros del Desierto se han esforzado por devolverle una parte del esplendor perdido situando allí algunas de las principales herrerías y armerías del país. No obstante, los habitantes de la zona siguen viéndolos como a unos intrusos, ya que la mayor parte de los jefes de taller procede de la capital, Asura.

Nadie me ha explicado con claridad por qué no nos hemos puesto todavía en camino. Elia dice que oyó hablar en las cocinas de una caravana de comerciantes de armas que fue atacada en la ruta de Hebe por un grupo de bandidos. No solo mataron a todos los mercaderes, sino que también se quedaron con sus mercancías: espadas de acero negro recién forjadas, ballestas encargadas por el ejército de Kadar, y hasta, según dicen, tres cañones de pólvora que el rey había ordenado fabricar para probarlos en la guerra contra Hydra.

Esas armas, ahora, están en poder de los bandoleros. Y podrían usarlas en sus nuevos ataques. Supongo que por eso Edan ha mandado a un grupo de exploradores a inspeccionar la ruta antes de que nos pongamos en camino. Si envían noticias favorables, cualquiera de estos días partiremos; y si no..., seguiremos esperando.

Desde el ritual de la fuente Edan y yo no hemos vuelto a hablar a solas, y casi me alegro. Lo veo únicamente a la hora de la cena, cuando nos reunimos con Moira y el comandante de la fortaleza en uno de los salones principales del castillo. De acuerdo con las costumbres austeras de la orden, nos sirven un solo plato, que generalmente es un asado de perdices o de cordero. Mientras comemos, uno de los caballeros más jóvenes nos lee pasajes de antiguos cantares de gesta. Decia tiene, al parecer, una larga tradición épica, que se remonta a los primeros siglos de su fundación.

Las lecturas en voz alta me liberan de tener que conversar con el resto de los comensales. Únicamente debo escuchar, y lo cierto es que resulta bastante entretenido. Además, esas historias me están ayudando a entender un poco mejor este reino y la imagen que los decios tienen de sí mismos. Se consideran guerreros implacables, a menudo desafortunados.

Es una información interesante.

Las cenas son los únicos momentos del día en los que comparto la vida del castillo. El resto del tiempo lo paso recluida en mi dormitorio o paseando por el pequeño huerto de la fortaleza con Dunia o con Elia. Moira me llama a sus aposentos de vez en cuando para charlar un rato, pero no pasamos juntas tanto tiempo como antes. Desde el ritual, tengo la sensación de que se siente incómoda conmigo. No me ha preguntado por lo que pasó, pero me imagino que Edan se lo habrá contado. Si es así, espero que no haya olvidado mencionar que pude dejarle morir y no lo hice. Es cierto que la subida de las aguas estuvo a punto de ahogarle, pero de eso no deben culparme a mí. No podría devolver la vida a las fuentes sagradas sin desplegar mi poder, y eso tiene sus riesgos.

Mi única ocupación interesante, en estas semanas, ha sido la de entrenar el don de Elia. Ya que no dispongo de los medios para seguir progresando con mis propios dones, encuentro cierto consuelo en despertar la magia dormida en esa muchacha que tanto ha sufrido.

No soy una experta en ayudar a otros a desarrollar sus dones, ni mucho menos. Por suerte tuve uno de los mejores instructores de Hydra, y fue mucho lo que aprendí con él. Una parte de ese aprendizaje con Hader me sirve ahora para entrenar a Elia. Sé, por ejemplo, que lo primero que debe hacerse para liberar su magia es ayudarla a vencer su miedo. Necesita sentirse segura, confiar en sí misma. Cuando lo logre, veremos hasta dónde puede llegar su capacidad para captar lo que sienten los demás a su alrededor. Si el don es lo bastante fuerte, quién sabe..., hasta podríamos intentar una conversión en las aguas sagradas. Que yo sepa, hace más de cuatro siglos que en Decia no se registran conversiones... Sin embargo, ahora que las aguas están volviendo a ocupar en el reino el lugar que nunca debieron perder, puede que eso cambie. ¿Quién sabe?

Hasta ayer no me había atrevido a hablarle a Elia de las conversiones. No quería asustarla. Pero ayer por la tarde, después de un entrenamiento con las aguas de Akheilos que resultó especialmente prometedor, me decidí a contarle algo.

Durante el entrenamiento, Elia había captado un brusco cambio de humor en Moira, a pesar de que la princesa se encontraba en su habitación y en todo el día no habíamos visto a

Esther, su doncella. Elia tenía las manos hundidas en un recipiente con agua de Akheilos, y yo la estaba observando. De repente, vi en su rostro una mueca de dolor. Observé, alarmada, que el agua se había teñido levemente de rojo, como si alguien hubiese lavado en ella un paño manchado de sangre.

—¿Qué te pasa? —pregunté—. ¿Algún problema?

Elia tuvo que hacer un esfuerzo evidente para contestarme.

—Yo... Es muy doloroso. ¡Es casi insoportable!

—¿A qué te refieres? Elia... Si quieres, lo dejamos ahora mismo.

—No..., no es mi dolor. Es decir, yo lo siento, pero el dolor no está en mí, sino en la princesa Moira.

—¿Qué le ocurre? —pregunté alarmada.

—Es su pierna derecha —contestó Elia sin vacilar—. Se ha torcido... La princesa está en un grito de dolor.

Inmediatamente interrumpimos la sesión y envié a Elia a interesarse por la salud de Moira. Regresó a los pocos minutos con una sonrisa entre triunfante y acobardada. Esther le había contado que la princesa había sufrido una caída por la mañana, al intentar pasar ella sola desde la cama a la silla de ruedas. Al caer se hizo daño en su deformada pierna derecha, y estaba sufriendo mucho.

—Ha sido una demostración impresionante, Elia —la felicité—. Está claro que tu don es mucho más poderoso de lo que pensaba. Y esto lo has conseguido simplemente hundiendo tus manos en una palangana con agua... Me pregunto qué pasaría si te sumergieras por completo en las aguas sagradas.

—¿Qué podría pasar? —me preguntó ella con curiosidad.

Me quedé mirándola un momento, dudando si debía contárselo.

—¿No hay leyendas en tu pueblo acerca de personas como tú que de repente un día, al entrar en contacto con las aguas, se transforman en sirenas?

—Las ancianas cuentan leyendas de sirenas, pero son historias inventadas..., no sobre personas reales.

—¿Estás segura?

Elia empezó a comprender adónde quería ir a parar.

—¿No es así? —preguntó asombrada—. ¿No son historias inventadas?

—No lo sé; pero es posible que haya algo de verdad en ellas. Ignoro lo que ocurre en Decia con las personas como tú, pero en Hydra... un don como el que tú posees iría acompañado de la capacidad de sufrir una metamorfosis.

—¿Una metamorfosis?

—Nosotros lo llamamos una «conversión». Al sumergirse en ciertas aguas con un poder especial, el cuerpo experimenta un cambio brutal, que transforma las piernas en una cola de escamas brillantes. En tu caso serían rojas, porque ese es el color del don de la compasión, que es el tuyo, sin duda. ¿No has visto el color del agua hace un rato, cuando sentiste el dolor de Moira?

Elia asintió con los ojos brillantes.

—¿De verdad creéis que yo podría sufrir alguna vez esa metamorfosis?

—Solo hay una manera de saberlo —contesté yo—. Intentándolo. Las aguas de Akheilos tienen mucho poder, quizá nos sirvan. Si quieres, mañana descenderemos juntas a la fuente y haremos la prueba.

* * *

Estaba dispuesta a cumplir mi promesa, por supuesto. Y la habría cumplido..., pero al final no ha sido posible.

Esta mañana, al amanecer, bajamos las dos juntas a la gruta del manantial. No había vuelto a visitarla desde el ritual. Ahora, las aguas sagradas forman una laguna azul y profunda en el centro de la caverna, desde la que alimentan la cascada.

—¿Qué tengo que hacer? —preguntó Elia, agachándose para rozar la superficie del agua con la mano.

—¿Sabes nadar? La primera conversión puede ser peligrosa. Quizá debería enseñarte a nadar en agua normal antes de intentar algo aquí.

—Sé nadar —me interrumpió Elia sonriendo orgullosa—. A veces, cuando vivía en casa de mis padres, me escapaba por la noche a la alberca del terrateniente para el que trabajan y, sin que nadie se enterase, me daba un baño.

—Excelente. Entonces, si te atreves...

Me interrumpí al ver aparecer una silueta a contraluz en la entrada de la caverna. Era Edan.

—Estaba haciendo guardia en la torre y os he visto bajar aquí —dijo, viniendo hacia mí directamente, sin mirar a Elia—. ¿Qué creéis que estáis haciendo?

—Nadie me ha prohibido que baje a la fuente —me defendí—. ¿Qué tiene de malo?

—Me refiero a ella —Edan apuntó hacia Elia, aunque seguía sin mirarla—. ¿La estás instruyendo, Kira? ¿Le estás enseñando tus trucos?

—Solo la estoy ayudando a descubrir su don. ¿Por qué te pones así? Forma parte de su naturaleza, es justo que aprenda a conocerlo.

—¡Vete! —bramó Edan, dirigiéndose a Elia—. Desaparece de mi vista, ¡pronto! Tengo que hablar con tu señora.

Elia salió corriendo, asustada. Nos quedamos los dos solos, a la orilla del agua.

—Nunca te cansas de atormentarme, ¿verdad? —dije, sin ocultar mi rabia y mi frustración—. En cuanto empiezo a levantar cabeza, a encontrar placer en alguna ocupación, ahí estás tú para aplastarme de nuevo.

—Piensa lo que quieras. De ahora en adelante, se te prohíbe instruir a esa joven en los dones de tu pueblo.

Nunca había visto a Edan tan rígido, tan distante. Ni siquiera su voz me resultaba reconocible. Era como si quisiera dejar bien claro que todo lo que había ocurrido entre nosotros es cosa del pasado, y que ya no significa nada para él.

No puedo soportar su frialdad. Me saca de mis casillas... Si lo que quería era provocarme, desde luego lo consiguió.

—Tú no puedes darme órdenes —le desafié—. Pronto seré tu reina. ¿Qué vas a hacerme si te desobedezco? No puedes hacerme nada, y lo sabes.

—Yo que tú, no me confiaría. No eres más que una extranjera aquí, Kira. Sin mi protección...

—No necesito tu protección, tengo la del rey. ¿Qué crees que dirá Kadar si le escribo contándole esto? Él fue quien decidió convertir a Elia en mi doncella. La salvó de la turba que intentaba lincharla por ser diferente de los demás, ¿no lo sabías?

Edan me sostuvo la mirada. Una pálida sonrisa afloró a sus labios.

—No, no lo sabía —admitió—. Mi hermano nunca deja de sorprenderme... De todas formas, la prohibición sigue en pie. Soy responsable de tu seguridad hasta que regrese el rey, y eso te obliga a obedecer mis órdenes. Escribe a Kadar, si lo deseas... Mientras tanto, harás lo que te he dicho.

Estaba claro que mi amenaza no le intimidaba, al contrario. Me maldije internamente por haber sido tan torpe.

—¿Por qué te molesta tanto que le enseñe a controlar su don? —pregunté, cambiando de estrategia—. ¿Qué hay de malo en ello?

La sonrisa de Edan se convirtió en una mueca de exasperación.

—No puedo creer que me hagas esa pregunta. ¿Es que no sabes lo que está pasando? Elia no es más que una más entre muchos otros. Las aguas están despertando una parte de su naturaleza que siempre había estado dormida. Son cientos, Kira, tal vez miles. Y han sufrido mucho... Han vivido como apestados dentro de sus propias aldeas, rechazados por todos. Nos odian, odian todo lo que representa Decia, y algunos de ellos están dispuestos a vengarse.

Dejé escapar una carcajada.

—Así que es eso —dije—. Les tienes miedo... Tienes miedo de esa pobre gente. Elia no es más que una chica desvalida, sin nadie en el mundo, repudiada hasta por sus propios padres. Kadar y yo le salvamos la vida, nos está agradecida. Estoy segura de que jamás haría nada para perjudicarnos.

—Tal vez no, de momento. Pero ¿qué pasará cuando se encuentre con otros como ella? Se están organizando. Ya hay bandas enteras de malditos asaltando los caminos, y puede que no se conformen con eso. El ataque en el que murió Luther, por ejemplo. Podrían haber sido ellos. Me enseñaron las flechas, y eran como las de los hidrios. Quizá estén recibiendo armas desde tu país.

—Eso es absurdo. Y aunque fuera verdad, no tiene nada que ver con Elia. Ella no forma parte de ninguna de esas bandas.

—Sí, pero ¿y si la capturan? Podría enseñarles a los otros lo que tú le has enseñado. Es demasiado riesgo... No voy a permitirlo.

Se quedó mirándome, esperando a que yo le contestara. Sin embargo, ¿para qué iba a hacerlo? Él ya había tomado una decisión, y nada de lo que yo pudiera decir le haría cambiar de idea.

—Debí dejar que las aguas te arrastraran —murmuré, volviéndome a contemplar la tranquila superficie de la laguna—. Ojalá lo hubiera hecho.

—Sí. Pero no lo hiciste.

Su tono se había suavizado de pronto. Me volví a mirarle.

—Sé que estoy en deuda contigo, Kira —dijo él, y desvió la mirada, como si de repente ya no fuese capaz de enfrentarse a mí—. No te preocupes, algún día te lo compensaré.

—No hay nada que puedas hacer para compensarme —dije con dureza—. Nada. Mi felicidad ya no depende de ti... y hace mucho que aprendí a no creer en tus promesas, así que guárdatelas para quienes no te conozcan como te conozco yo.

CAPÍTULO 13

Elia no se ha tomado nada bien la interrupción de los entrenamientos. Cuando le expliqué que Edan los había prohibido, no dijo nada, pero noté que apretaba los labios y que la sangre se retiraba de sus mejillas.

Creo que, en el fondo, me echa a mí la culpa. Desde hace unos días evita conversar conmigo, y me responde con monosílabos cada vez que le pregunto algo. Está dolida conmigo... a pesar de que sea injusto. Seguiría entrenándola si pudiera, pero sé que no debo desafiar a Edan en este asunto, porque Elia saldría perjudicada.

Por otro lado, las cosas que Edan me contó acerca de otros sirénidos como Elia han despertado mi curiosidad. ¿Será cierto que hay tantos, y que se están organizando? Si es así, puede que las acusaciones de Edan no estuviesen del todo desencaminadas. A lo mejor Ode ha logrado contactar con esos grupos de decios descontentos y se ha convertido en su líder. Eso explicaría la utilización de flechas hidrias en el ataque del desfiladero.

Me desespera poseer tan poca información. He intentado

usar las aguas sagradas para desencadenar alguna visión o alguna percepción especial sin ningún resultado. Parece que el don de la videncia que recibí en Lugdor era solo pasajero. Tampoco el don de la compasión ha vuelto a manifestarse desde que perdí el contacto con las aguas de Ayriss. Y en la fuente de Akheilos, el ritual de invocación de las aguas no ha despertado en mí ningún nuevo poder. ¿Qué me ocurre? ¿Me estoy debilitando?

Es posible que la llegada de Edan y la decepción que me produjo nuestro primer encuentro allí hayan afectado a mis capacidades mágicas. No sería la primera vez que me sucede algo similar...

En todo caso, a través de los dones o sin ellos, yo necesito averiguar lo que está ocurriendo. Por eso se me ocurrió sondear a Elia. Ella no tiene el don de la videncia, pero a través del poder de la compasión es posible que capte sentimientos y situaciones que a mí me pasan desapercibidos.

Por la mañana se lo pregunté sin rodeos. Y su respuesta no pudo ser más decepcionante.

—No sé de qué me habláis, Alteza —dijo, bajando los ojos—. No he notado ninguna presencia extraña en Akheilos ni en los alrededores.

—¿Ningún sentimiento de miedo o de hostilidad? —insistí—. ¿Ningún engaño? Quizá hayas captado el malestar de alguien que se siente distinto de los demás; alguien, tal vez, con los mismos problemas que tú.

—¿Un maldito? No; no he captado nada. Si hubiese alguno cerca, me habría dado cuenta.

Por algún motivo, tuve la sensación de que me ocultaba algo. Por desgracia, no sé si se trata tan solo de una intuición sin ninguna base o de una revelación que he recibido a través de mis dones.

De todas formas, una cosa está clara: si Elia sabe algo, ha

decidido no compartirlo conmigo. Mucho tendrían que cambiar las cosas para que se decidiese a hacerlo... Tendría que recuperar su confianza.

Sin los entrenamientos de Elia, me siento sola e inútil aquí encerrada. Nunca creí que diría esto, pero estoy deseando partir hacia la siguiente fuente y despertar a las aguas sagradas de Hebe. No entiendo por qué hemos retrasado tanto la partida... O, más bien, no lo entendí hasta esta misma mañana.

Fue Dunia quien me lo contó. Al amanecer llegó un mensajero procedente de Lyr. Traía cartas urgentes para Edan y para Moira. Cartas del rey.

Después del desayuno, Moira me invitó a acompañarla a sus aposentos. Por lo visto, el envío de Kadar incluía un regalo para mí.

Abrí delante de Moira las cintas de la bolsa de terciopelo azul. Al sacar lo que contenía, me quedé sin aliento: era una gargantilla de esmeraldas, zafiros y diamantes engarzados en oro blanco. Nunca había visto piedras preciosas tan grandes, ni tanta variedad de tallas. Cada gema había sido cortada de un modo diferente para arrancarle su máximo brillo. El resultado era deslumbrante... En Argasi, las damas del Triunvirato solían llevar joyas fastuosas, pero ninguna podría compararse con esta.

—El regalo es espléndido —observó Moira cuando alcé la gargantilla frente a la ventana, para admirar las piedras a la luz del sol—. Kadar tiene buen gusto, no se puede negar.

—Lo que no entiendo es... ¿No había ningún mensaje que acompañase el regalo, ninguna carta? Sé que a Edan y a ti os ha escrito.

El rostro de Moira se ensombreció.

—Sí. Nos ha escrito... Y la verdad, habría preferido que no lo hiciera.

—¿Malas noticias? —pregunté, alarmada.

—No; las cartas las envió antes de que la flota partiera, de modo que no sabemos nada sobre el desarrollo de la guerra. La única mala noticia es la terquedad de Kadar... y su empeño en irritar a Edan.

Traté de dominar la turbación que instintivamente se apoderó de mí.

—No te entiendo —murmuré, guardando la gargantilla de nuevo en su bolsa—. ¿Qué es lo que ha dicho?

—Nos ha escrito a los dos diciéndonos lo mismo. No quiere que Edan se aproxime a menos de diez pasos de distancia de ti, ni que permanezca jamás a solas contigo en una habitación. Y lo peor es que le envía esas instrucciones en forma de decreto oficial, amenazándole con el destierro o la prisión si las incumple.

—¿Y a ti qué te dice?

Moira se encogió de hombros, frustrada.

—Que me asegure de que Edan obedece sus órdenes. Como si yo pudiese hacer eso. Ni puedo, ni quiero... No pienso ponerme del lado de Kadar en esta locura.

Arrojé el regalo sobre una mesa, quizá con más violencia de la necesaria. Las dos permanecimos calladas durante unos segundos.

—¿Qué ha dicho Edan? —pregunté finalmente.

—Nada. Pero le conozco: está hirviendo de furia por dentro. Kadar se está comportando como un loco. Edan le ha demostrado más lealtad de la que merece, ¿y así es como se lo paga? No lo entiendo; y menos en este momento, cuando tenemos tantos frentes abiertos.

—¿A qué te refieres?

Moira se sacudió hacia atrás sus largos tirabuzones cobrizos.

—Ha habido levantamientos. En Asura y también en Igrid. Por eso no hemos partido antes. Edan estaba esperando órdenes acerca de cómo proceder. Cuando llegó el mensajero esta mañana, los dos creímos que traía las instrucciones de Kadar para acabar con las revueltas. Sin embargo, en sus cartas ¡ni siquiera las menciona! Comienzo a preguntarme en serio si no habrá perdido la cabeza.

—Pero si no quería que Edan se acercase a mí, ¿por qué le envió a Akheilos? No entiendo nada.

Moira se encogió de hombros otra vez, mostrando su descontento.

—¡Qué sé yo! Puede que quisiese ponerle a prueba... y de paso, ponerte a prueba a ti. Por otro lado, él sabe que Edan es el más indicado para proteger la misión de las fuentes, y garantizar tu seguridad. Pretende que siga protegiéndote, y al mismo tiempo le exige que mantenga las distancias. Un disparate... Pero como es el rey, todos debemos obedecerle.

—Será difícil cumplir sus instrucciones durante el viaje. ¿Cuándo partimos hacia Hebe?

—Edan quiere que salgamos mañana. Ya no tiene sentido seguir esperando unas instrucciones que no llegarán. Debemos ponernos en camino cuanto antes.

—Y a mí ni siquiera me escribe —murmuré—. Ni siquiera eso. ¿Qué es lo que espera de mí?

—Que obedezcas, como todos —contestó Moira, y en su siguiente frase me pareció captar una advertencia—: Que no provoques situaciones que obliguen a Edan a incumplir las órdenes que ha recibido... Y la verdad, por el bien de todos, eso es lo que espero yo también.

* * *

Otra vez estamos en camino. Y otra vez hemos sufrido un percance... Tal vez un accidente, o tal vez no.

El primer tramo de nuestra ruta hacia Hebe nos llevó a

atravesar el Bosque de Piedra, una sierra de roca pelada sin apenas vegetación, con espectaculares panorámicas sobre el mar. La carretera allí serpentea pegada a la roca en un sinfín de vueltas y revueltas, y en algunos tramos es tan estrecha que los caballos tenían que pasar en fila india.

Lo que más preocupaba a Edan era la silla de manos de Moira, pues la subida era muy fatigosa para los porteadores, y hubo que sustituir a uno de ellos que se quejaba de vértigo cada vez que el camino discurría junto a un precipicio.

En cumplimiento de las órdenes de Kadar, Edan cabalgaba en la cabecera de la caravana, muy lejos de mí. Me había asignado a dos de sus hombres de confianza para que me escoltaran, pero allí donde se estrechaba el camino, Gustav y Carl debían situarse uno delante de mi caballo y otro detrás para poder pasar.

Fue en uno de esos tramos donde sucedió el... incidente. Avanzábamos muy despacio sobre un acantilado que caía a plomo sobre el océano, cuando de pronto mi caballo se encabritó e intentó arrojarme al suelo.

Afortunadamente, conseguí mantenerme sobre la silla, pero el caballo había emprendido una carrera enloquecida por el borde mismo del acantilado. Los hombres de Edan intentaron interponerse, pero el animal los esquivó. Galopaba peligrosamente cerca del abismo, arrojando piedras al vacío cada vez que sus cascos golpeaban el suelo.

El miedo me paralizó de tal modo que ni siquiera fui capaz de gritar. Vi a los porteadores echarse a un lado con la silla de Moira para evitar que los arrollásemos. El caballo estaba fuera de sí, se encabritaba y giraba bruscamente sobre sus patas, relinchaba nervioso y emprendía otra peligrosa huida hacia delante. En cualquier momento, una mala pisada podía enviarnos, a él y a mí, al precipicio.

El pánico me nublaba la vista y me agarrotaba los músculos, de tal manera que apenas era capaz de moverlos. No podía hacer nada..., nada para detener aquella carrera enloquecida. Estaba segura de que iba a morir.

Entonces sentí una violenta sacudida a mi espalda, y el caballo vaciló bajo el nuevo peso que acababa de caer sobre él.

Era Edan...

No sé cómo, se las había arreglado para saltar sobre la grupa. Pasándome los brazos a ambos lados de la cintura, me quitó las riendas de las manos y deslizó su cuerpo hacia delante, dejándome prácticamente encajada entre sus brazos.

Cerré los ojos y dejé de pensar. Si Edan no lo conseguía, nos mataríamos los dos.

Pero lo hizo. En algún momento el galope cesó; el caballo aminoró su velocidad hasta detenerse completamente.

Noté que el férreo abrazo que me mantenía firmemente sujeta a la silla se aflojaba, y solo en ese instante me di cuenta de que me temblaba todo el cuerpo.

Alguien me ayudó a desmontar. Sin embargo, al tocar el suelo mis piernas se doblaron, incapaces de sostenerme. Unos minutos más, y probablemente habríamos terminado, el caballo y yo, en el abismo. Edan lo había impedido...

Edan. Siempre Edan.

CAPÍTULO 14

Es de noche. Las estrellas centellean sobre el campamento, más brillantes y numerosas por la ausencia de luna.

Me he resistido a salir de mi tienda, pues todavía no me he recuperado del susto vivido con el caballo desbocado y no tengo ganas de nuevos sobresaltos. Sin embargo, Moira me ha invitado a que me reúna con ella en su tienda, y todo el mundo sabe que una invitación que proviene de una princesa es, en realidad, una orden.

Al entrar bajo la carpa granate, el resplandor de las velas me hace parpadear. Hay muchas, distribuidas en pesados candelabros de plata. Deslumbrada por tanta luminosidad, mis ojos tardan un rato en adaptarse al cambio... y en descubrir a Edan.

Está sentado junto a la cama de Moira, si bien se levanta nada más verme entrar. Yo me detengo en el umbral de la tienda, sin saber qué hacer.

—Será mejor que venga más tarde —digo—. Altezas...

—No, Kira, no —Moira me hace un gesto desde la cama para que me acerque—. Tenemos que hablar los tres.

—Es que... yo creía que... Kadar dijo...

—¡Al diablo Kadar! —me interrumpe Edan con expresión sombría—. Ya hemos tenido demasiada paciencia con sus caprichos.

Avanzo insegura hacia la cama de Moira. Ella me indica que me siente a sus pies. Obedezco.

—No hemos querido decírtelo antes para no alarmarte sin necesidad —comienza la princesa, aferrando mi mano entre las suyas—. Sin embargo, ahora que estamos seguros, no podemos seguir ocultándotelo. Es mejor que lo sepas... Cuéntaselo tú, Edan.

—Lo que ocurrió con tu caballo no fue casualidad —explica Edan, mirándome a los ojos—. Tenía un dardo clavado en la grupa. Yo mismo se lo arranqué... El médico de Moira lo ha estado analizando. La punta estaba impregnada en una sustancia irritante que se extrae de una planta de las salinas.

Desvío la mirada desde Edan a Moira, y enseguida mis ojos regresan a Edan.

—Alguien quería... matarme —murmuro al mismo tiempo.

—Sí. Alguien que lo tenía muy bien planeado —me confirma Edan—. Y quienquiera que sea es probable que vuelva a intentarlo.

—Por fortuna, en la ruta de Hebe no volveremos a encontrarnos con una etapa tan difícil como esta —interviene Moira—. Aun así, Edan y yo estamos de acuerdo en que debemos tomar medidas para protegerte.

Asiento.

—Estaré alerta —le aseguro—. Y os comunicaré cualquier cosa extraña que detecte, cualquier detalle que me llame la atención.

—Eso no es suficiente —dice Edan, poniéndose en pie con brusquedad—. Se supone que yo estoy aquí para velar por tu seguridad, pero esta mañana has estado a punto de morir. La culpa es mía, por no haber hecho lo que debía haber hecho desde el principio. Kadar puede decir lo que quiera. A partir de ahora, voy a asumir mis responsabilidades... y, si eso significa desobedecer sus órdenes, así será.

—Edan tiene razón —dice Moira, notando mi escaso entusiasmo ante el anuncio de su hermano—. Hasta Kadar lo admitirá, cuando le expliquemos con detalle lo que ha pasado. Yo me encargaré de ello, no te preocupes. A partir de ahora, Edan cabalgará a tu lado. Sé que estamos desobedeciendo las órdenes que nos envió mi hermano, pero ya van dos ataques: acuérdate de la serpiente, y ahora esto... No podemos arriesgarnos a que suceda por tercera vez.

—¿Y no sería mejor intentar averiguar quién lo ha hecho? —pregunto yo—. Tiene que haber una forma de averiguarlo.

—Ya he mandado a dos de mis agentes a las aldeas de la zona —replica Edan con prontitud—. Si alguien ha visto algo raro en el camino o en el Bosque de Piedra, ellos se enterarán. De todas maneras, aunque lleguemos a saber la verdad, eso no te ayudaría demasiado. Lo importante es impedir que vuelvan a atentar contra ti. De modo que a partir de ahora, si me lo permites, pasaré mucho más tiempo a tu lado...

—No; no te lo permito —le interrumpo ásperamente.

Edan parpadea repetidamente como si no hubiese oído bien.

—Perdona, creo que no me has entendido —explica en tono paciente—. Esto no es una decisión que dependa de ti. Moira y yo estamos de acuerdo, y pensamos que es lo mejor en estas circunstancias. Lo siento si te resulta incómodo o desagradable; no hay otra opción.

—Claro que la hay —le contradigo con firmeza—. Esta vez tiene que haberla. Estoy harta de que todo el mundo decida por mí y me imponga su voluntad. No acepto tu propuesta, Edan... Va contra las órdenes del rey.

Un temblor casi imperceptible se apodera de la mandíbula de Edan.

—Kira, sé que estás enfadada conmigo por lo que te dije. Pero esto es más importante que tú y que yo juntos. El milagro que estás obrando con las fuentes sagradas es maravilloso. Le estás devolviendo la salud a este país... No podemos permitir que nada ni nadie se interponga en tu misión, ¿no te das cuenta?

—De lo único que me doy cuenta es de que a nadie le importa lo que yo pienso ni lo que yo quiero. No voy a aceptar tenerte a mi lado a todas horas, Edan. No así... De ninguna manera.

La mirada de Edan se vuelve amenazante.

—¿Es por Kadar? Le tienes miedo. ¿Crees que no puedo protegerte de él? Si yo quisiera...

—No has querido hasta ahora —le interrumpo de nuevo—. Y ya es demasiado tarde para cambiar eso. Además, ya que tanto te interesa saberlo, no es por miedo... Es porque yo lo he decidido.

Edan se me acerca despacio y se queda en pie, a escasas pulgadas de mí, contemplándome desde arriba con una expresión que casi me asusta.

—Ya entiendo —dice en voz baja—. Quieres congraciarte con él, agradarle en todo. Como no conseguiste lo que querías conmigo, ahora intentas castigarme rebelándote contra mí.

—Edan, por favor —le advierte Moira—. Así no vas a convencerla...

—No, Moira, si Edan tiene razón... Ya que quiere que hablemos claro, hablaremos claro —digo, poniéndome en pie y obligándole a retroceder un paso—. Es cierto que no conseguí lo que quería de ti. Era algo muy sencillo..., algo que tú me habías ofrecido, y que luego olvidaste. Tu lealtad..., tu amor.

Al oírme hablar con tanta crudeza, su rostro cambia. Baja los ojos, es como si no pudiese soportar escucharme.

—Kira... —murmura—. Basta.

—No. Deseo que Moira entienda el porqué de mi decisión. No quiero tu protección, Edan; no, si es un deber más que te impones a ti mismo. Si no puedo tenerte completamente, no quiero nada de ti.

—Kira, esto no es algo que os afecte solo a vosotros dos —interviene Moira con delicadeza—. Hay muchas cosas en juego, muchas vidas. Edan tiene razón: la misión es lo más importante.

—No os preocupéis por la misión —digo sin ocultar mi desdén—. Seguiré invocando el poder de vuestras fuentes, ese poder que vuestro pueblo no ha sabido preservar. Eso es todo lo que podréis exigirme. Nada más. Si tanto os preocupa mi seguridad, hallad a los culpables, impedid que vuelvan a atacar. Es lo mejor que podéis hacer.

—¡Y lo haremos! Aun así, Kira, debes permitirme que esté a tu lado —Edan me mira otra vez con ojos suplicantes—. No me lo perdonaría jamás si algo te pasara. Y ahora que Moira nos deja...

Giro el cuello hacia Moira, asombrada.

—¿Cómo que nos dejas?

La sorpresa ha hecho que me olvidara del trato de cortesía que le debo.

Moira se vuelve hacia su hermano con expresión de reproche.

—¿Tenías que decírselo precisamente ahora? Muy bien, Edan. Justo a tiempo.

—¿Por qué? —insisto, sin dejar de mirar a la princesa—. ¿Adónde vas?

—A Igrid, y después a Asura. La situación es preocupante, Kira. Con la ausencia de Kadar y la debilidad del nuevo Gran Maestre, nos enfrentamos a un vacío de poder. No sabemos quiénes son exactamente nuestros enemigos, no sabemos si es-

LA REINA DE CRISTAL · II

tán bien o mal organizados. Lo que está claro es que hay una relación entre las revueltas de los últimos días en las ciudades y las bandas de malditos que están apareciendo por toda Decia. Es una revolución; o alguien pretende que lo sea... No obstante, todavía estamos a tiempo de impedirlo.

Arqueo las cejas, sorprendida por la resolución y vehemencia de la princesa.

—¿Cómo? —pregunto—. Podría ser peligroso.

—No para mí. Nuestra gente me adora, jamás me atacarían. Tengo que hablarles directamente, Kira, escuchar sus quejas y sus peticiones, entender por qué está pasando esto, y quién está detrás. Sé que puedo hacerlo y, tal y como está la situación, tengo que actuar cuanto antes. Por eso necesitaba asegurarme de que todo irá bien cuando me vaya. Por eso quería que tú y Edan...

—No voy a causarle problemas a Edan, no te preocupes —le aseguro, evitando la mirada de su hermano—. Pero estoy segura de que has comprendido mis razones, y de que no me obligarás a aceptar una cercanía que no deseo. Estoy cansada de que se me trate como a una niña.

La princesa estudia a su hermano Edan pensativa.

—Creo que Kira tiene razón —murmura finalmente—. Ha hecho mucho por nosotros. Merece un poco de respeto a cambio. Y ni Kadar ni tú parecéis capaces de entender lo que significa esa palabra.

Edan contempla a Moira con una sonrisa incrédula.

—¡No puedes estar hablando en serio! —exclama, sin esconder su irritación—. Creía que estábamos de acuerdo.

—Lo estábamos. Pero he cambiado de idea.

—¡No puedo protegerla si tengo que mantenerme permanentemente alejado de ella! —protesta Edan cada vez más alterado—. Me estáis pidiendo algo imposible.

—En ese caso, no haber aceptado las instrucciones de Kadar —le digo con una serenidad que me sorprende a mí misma—. Pudiste rebelarte.

Nuestros ojos se encuentran durante unos segundos.

—Sí —dice por fin en voz baja—. Pude hacerlo. Aún podría.

—Pero no quieres. En el fondo no quieres. Ni yo tampoco, ¿sabes? Ya no. Así que habrá que buscar otra fórmula para que no me maten. Tiene que haberla... Eres inteligente, seguro que algo se te ocurrirá.

CAPÍTULO 15

En las puertas de Igrid nos esperaba una carroza enviada por Dannar, el gobernador de la ciudad. Moira y yo nos subimos a ella, junto con Esther y Elia. El cochero corrió las cortinas de las ventanillas.

—¿Por qué hace eso? —pregunté, decepcionada—. Esperaba tener la ocasión de ver algo de la ciudad.

—Al parecer hemos llegado en un día turbulento —contestó Moira—. Aunque últimamente todos lo son, según cuenta el gobernador en las cartas que nos ha enviado. De todas formas, no te preocupes: algo podrás ver a través de las rendijas.

Moira estaba en lo cierto. Entre la cortinilla roja y el marco de la ventana quedaba una estrecha rendija por la que se podía mirar. Y merecía la pena... porque las calles de Igrid eran realmente pintorescas.

Toda la ciudad parecía un inmenso mercado al aire libre. A ambos lados de la calzada se alineaban puestos con toldos de colores brillantes. Vendían fruta, libros, gallinas vivas, ramilletes de hierbas medicinales y cofres de madera con incrustaciones de madreperla. Los aguadores se paseaban entre los miembros de nuestra comitiva, ataviados con extraños pantalones de cuero y turbantes rojos decorados con cascabeles, ofreciendo agua a los jinetes en toscos cuencos de barro. Olía a una mezcla de frutas, quesos y dulces fritos en aceite y aderezados con miel. También, al pasar por algunos puestos, a té, o a vino de especias.

Para ser una ciudad en plena revuelta, la gente se mostraba bastante tranquila. Casi todos los hombres llevaban túnicas blancas, y las mujeres, de color púrpura. Al paso del cortejo, muchos se daban la vuelta y observaban la carroza con curiosidad. No parecían asustados, aunque tampoco entusiasmados con nuestra llegada.

Más allá de los toldos de los mercaderes se adivinaban las simetrías majestuosas de las fachadas, construidas todas ellas en una piedra amarillenta que a la luz del sol se volvía dorada.

Después de un rato, salimos a una amplia avenida con árboles a ambos lados. Allí apenas había gente, y circulaban numerosas patrullas de vigilancia formadas por tres o cuatro hombres.

—Nos acercamos al palacio del gobernador —dijo Moira—. Supongo que nos estará esperando.

—¿Habíais estado aquí alguna vez, princesa?

Moira esbozó una sonrisa nostálgica.

—Muchas veces —dijo—. Mi padre adoraba esta ciudad, venía siempre que podía. Si de él hubiese dependido, habría instalado aquí su corte.

—¿Por qué no lo hizo? Era el rey...

—Los reyes no siempre pueden hacer lo que les gustaría.

Dannar nos esperaba en el patio elíptico de su lujoso palacio para darnos la bienvenida.

Es un anciano calvo, con unos ojillos claros y brillantes sobre sus rasgos casi infantiles. Habla con mucho énfasis, quizá para contrarrestar la inexpresividad de su rostro. Ante Moira no dejaba de hacer reverencias, pero a mí me recibió con cierta frialdad.

No tardé en descubrir que mi llegada despertaba recelos en el palacio. Por lo visto, las protestas que se han desencadenado estos últimos días son por mi causa. Una parte de la población agradece lo que estoy haciendo con las fuentes, pero también son muchos los que temen los cambios. Han llegado rumores de la liberación de los «malditos», como aquí los llaman todos, en numerosas aldeas próximas a Ayriss. Algunos predicadores callejeros van por ahí anunciando que ese despertar de los malditos marca el principio del fin de Decia. No me extraña que la gente esté asustada... Cada vez son más los que creen que las fuentes deberían seguir dormidas, y que una extranjera no debería venir a importunar su sueño.

Todo esto lo he deducido yo a partir de las cosas que me cuentan Dunia y Esther, porque desde que llegamos a Igrid prácticamente me han mantenido confinada en mi habitación. No he vuelto a ver a Moira ni a Edan, ni tampoco al gobernador. Ni siquiera he sido presentada ante su esposa y sus hijos. Me han asignado unos aposentos bastante lujosos, y se me permite pasear por los jardines privados de la residencia, pero me sirven las comidas en mi cuarto y no me invitan a bajar a los salones donde todos se reúnen al atardecer.

Este aislamiento podría irritarme, pero la verdad es que lo prefiero. Tengo todo el día para mí, desde que me levanto hasta que me acuesto; hacía mucho tiempo que no disfrutaba de tanta libertad. Dunia me trae libros de la biblioteca del gobernador, y me paso casi todo el día devorándolos. También disfruto admirando las innumerables variedades de rosas de los jardines, y Dunia me está enseñando a bordar.

Lo mejor es que puedo pasar de una actividad a otra sin que nadie me pida explicaciones. Y por otro lado, Edan se pasa todo el día fuera del palacio, reuniéndose con distintos sectores de la sociedad de Igrid y patrullando por las zonas más conflictivas con sus caballeros, lo que significa que no corro el riesgo de tropezarme con él a cada paso, como me sucedía en Akheilos.

Es curioso: a pesar de lo mucho que me dolió al principio el rechazo de Edan, en el fondo me alegro de que las cosas se hayan aclarado definitivamente entre nosotros. Ahora no espero nada de él, y eso me permite mirar al futuro sin ansiedad ni esperanza de ninguna clase.

Por primera vez en mucho tiempo, vivo sin miedo. Al fin y al cabo, cuando ya lo has perdido todo, no te queda nada que perder, y puedes enfrentarte al futuro con más serenidad.

Como está claro que nadie me echa de menos, poco a poco me voy moviendo con mayor libertad. Al principio apenas me atrevía a abandonar mis habitaciones. Ahora, de vez en cuando me atrevo a bajar a la biblioteca o al salón de música, y de noche salgo a pasear por las terrazas superiores del palacio. Me he dado cuenta de que puedo hacer lo que quiera, siempre que no importune al gobernador ni a sus cortesanos. Al parecer me tienen miedo, y ni Moira ni Edan han logrado convencerlos de que no supongo ninguna amenaza para ellos. Me toman por una hechicera o algo así... Eso me ha contado Dunia, que lo ha oído en las cocinas.

En vista de que nadie va a atreverse a cruzarse en mi camino, he decidido aprovecharme más de esta situación. Empiezo a hartarme de estar encerrada en el palacio, así que esta tarde voy a salir a dar un paseo por las calles de Igrid.

Mi plan es muy sencillo: le he pedido a Dunia que me consiga una de esas túnicas púrpura que visten las mujeres de la ciudad. Lo único que tengo que hacer es ponérmela para mezclarme con la gente sin despertar sospechas. Seré una más... Y podré hacer lo que me dé la gana.

Dunia ha accedido a ayudarme... con una condición: quiere venir conmigo. Dice que si algo me pasara, toda la culpa recaería en ella por haberme ayudado, así que prefiere asegurarse de que no me pase nada.

Creo que se preocupa demasiado. Con las túnicas, que nos cubren el cabello y la parte inferior del rostro, es imposible que alguien nos reconozca. Ahora lo que tenemos que conseguir es salir del palacio sin llamar la atención.

Bajamos las dos juntas por las escaleras de servicio y, una vez en el corredor de las cocinas, esperamos a que no haya nadie para cruzar hasta la puerta de la bodega. No sé cómo, Dunia se ha hecho con una llave... Entramos de puntillas, nos quedamos un instante escuchando hasta asegurarnos de que no hay nadie, y después subimos hasta la puerta de carga y descarga, que comunica directamente con el exterior del edificio.

No puedo creerlo, ¡estamos fuera!

Casi me da vértigo caminar por una calle de la que apenas vislumbro el final, después de tantos días encerrada entre las paredes de mi cuarto o tras las tapias del jardín.

La calle es un hervidero de personas que van y vienen, y nadie nos presta atención. Hacía tiempo que no me sentía tan libre. Dunia está disfrutando tanto como yo. Ninguna de las dos habíamos estado jamás en una ciudad tan animada, tan llena de tiendas, tabernas y posadas. Ni siquiera Argasi, la capital de Hydra, es así; ni la capital de Decia, Asura... Sus avenidas son más anchas y las fachadas más monumentales, sí, pero el ambiente es más formal, más... solemne. Igrid, en cambio, es una ciudad llena de vida.

—¿Adónde vamos? —me pregunta Dunia con un brillo travieso en los ojos.

—No lo sé... ¿Cuál es el centro de la ciudad?

—La Plaza de las Joyas, creo que la llaman.

—¿Sabes llegar?

Dunia mira a su alrededor antes de responder.

—Solo tenemos que seguir a la multitud. ¿Veis esa calle que cruza? Casi todo el mundo se mete por allí, a la derecha... Seguro que ese es el camino.

El razonamiento es bueno, de modo que nos dirigimos hacia donde parece ir todo el mundo. Al girar a la derecha, nos encontramos en un bulevar con altos árboles en el medio e infinidad de tiendas y de puestos de comida a los lados. El delicioso olor de los buñuelos y de la carne especiada me hace acordarme de algo.

—¿Tienes dinero, Dunia? Yo no llevo nada.

Dunia rebusca en la bolsa de cuero que lleva atada a su cinturón y me muestra tres monedas de plata y algunas de cobre.

—Con esto tendremos para comprar algo de comer y hasta para pagarnos algún capricho —dice sonriente—. Que conste que me lo debéis...

—Espero poder pagártelo —murmuro.

La verdad es que, desde que llegué a Decia, nunca he tenido que manejar dinero, y no dispongo de nada que pueda llamar mío. Exceptuando, quizá, el collar de piedras preciosas que el rey me envió como regalo..., pero es demasiado valioso para venderlo en secreto. Kadar terminaría enterándose y se pondría furioso.

En cualquier caso, no quiero pensar en eso ahora. Deseo disfrutar de todo lo que me rodea, imaginarme que soy una más en el laberinto de calles y gentes de Igrid, sentirme libre.

Compramos una torta de trigo rellena de carne asada para cada una, y más tarde, en otro puesto, rosquillas fritas y bañadas en miel. Tengo los dedos pringosos, pero no me importa. Estas comidas callejeras me han sabido mejor que todos los manjares que me han dado a probar en los últimos meses.

Dunia y yo nos lavamos las manos en un surtidor de bronce y dejamos que se nos sequen al aire. Seguimos caminando entre el gentío, deteniéndonos de cuando en cuando ante los puestos que nos llaman la atención.

Me atrae especialmente un tenderete donde se exhiben amuletos de arcilla pintada. Muchos son colgantes redondos con espirales grabadas; me recuerdan los antiguos relieves de la fuente de Lugdor.

Dunia me ve tan interesada en ellos, que se empeña en comprarme uno. El hombre que nos lo vende es tuerto, y las trenzas de su barba rubia le dan un aspecto un tanto salvaje. Se impacienta cuando ve que tardo en elegir, y él mismo señala con un dedo enorme y lleno de mugre uno de los talismanes, que tiene tres espirales entrelazadas.

—Este —gruñe, mirándome—. Es lo que necesitas.

—¿Por qué? —le pregunto sorprendida.

El hombre sonríe mostrando sus dientes desiguales y amarillos.

—Si no lo sabes, mujer, yo no puedo decírtelo.

Sus palabras me provocan cierta aprensión. Aun así sigo su consejo. Mientras Dunia paga al mercader, yo me ato el cordón de seda del talismán por detrás del cuello y meto el colgante bajo la túnica.

En el momento en que las toscas espirales rozan mi piel, veo a un encapuchado. Lo veo cerca, tan cerca como si lo tuviera a mi lado, aunque sé que es tan solo una visión. Se cubre con una túnica negra, y al principio no puedo distinguir bien su rostro, sumido en las sombras. De repente reconozco esos ojos oscuros. Los reconozco y al mismo tiempo no los reconozco, porque han cambiado. La antigua chispa de alegría que siempre los animaba ha desaparecido... y, sin ella, resultan temibles.

Un escalofrío me recorre la espalda. Es Ode, lo sé; es Ode...

No lo he visto con los ojos del cuerpo, sino con los del espíritu, pero sé que está aquí, muy cerca, tal vez en esta misma calle.

CAPÍTULO 16

Nadie ha descubierto mi escapada con Dunia. A pesar de ello, no me he atrevido a repetirla.

La visión del rostro de Ode no deja de atormentarme. ¿Qué hace aquí, en Igrid? ¿Tiene algo que ver su presencia con mi llegada a la ciudad? Tal vez haya intentado colarse en el palacio para verme y no lo haya conseguido.

Me asustó la manera en que se ha transformado su rostro: ya no es el muchacho alegre y despreocupado que conocí en Argasi, sino alguien en tensión, nervioso, alerta... Parece un soldado.

En cuanto llegué a mis aposentos me quité el talismán de las tres espirales, y no he querido volver a ponérmelo. Ignoro qué tipo de magia se oculta en ese tosco pedazo de arcilla: lo compré creyendo que no era más que una baratija sin ningún poder real. Me equivoqué... Ahora me arrepiento de no haberle hecho más preguntas al hombre que me lo vendió. ¿De dónde procede? ¿Quién lo ha fabricado? Y, sobre todo, ¿por qué lo eligió para mí, diciéndome que era lo que yo necesitaba? Ese mercader sabía algo... Debería haberle presionado para que me lo contara.

Mientras tanto, aquí en palacio los dos últimos días han estado llenos de acontecimientos.

Moira se ha ido esta misma mañana. Antes de partir hacia la capital, vino a verme para despedirse. Intuyo que se sentía bastante culpable por la escasa atención que me ha prestado desde que llegamos a Igrid.

—Siento que no hayamos podido pasar más tiempo juntas —me aseguró—. Lida, la esposa del gobernador, es una mujer muy absorbente. No me dejaba sola ni a sol ni a sombra... Tienes suerte de que a ti no quiera ni verte.

Tanta sinceridad me hizo reír.

—Sí, a veces viene bien ser una apestada social. La verdad es que no os envidio, princesa.

Moira me observó con curiosidad.

—Parece que te lo tomas con mucha tranquilidad. No sé si yo sería capaz de tomármelo así.

Me mostré indiferente:

—Tengo una habitación amplia y cómoda y me dan bien de comer. Nadie se ha metido conmigo directamente..., así que no puedo quejarme.

—Me alegra que lo veas así, porque es posible que a partir de ahora... este tipo de situaciones sean cada vez más frecuentes.

—¿Qué queréis decir?

Ladeó la cabeza, indecisa.

—Quizá no debería contártelo, pero antes o después te enterarás, así que... Ha habido varios asaltos en la ruta de Hebe. Dicen que son «malditos». Ya sabes, gente como Elia.

—Y como yo —observé en voz baja.

—Han asaltado varias granjas. En una aldea mataron a un campesino, y en otra se llevaron a un par de jóvenes que no han vuelto a aparecer. El último ataque fue a cinco leguas de Igrid. Y anteayer, alguien reventó el portón de la muralla oriental de la ciudad con una carga de pólvora. La gente está asustada.

—Ya. ¿Y por qué dudabais si contármelo o no?

—Pues... sé que es una locura, pero hay una parte de la población que te culpa a ti de todo esto.

—No van tan desencaminados. Estoy despertando el poder dormido de las fuentes sagradas. Eso ha liberado a esos a los que llamáis «los malditos», así que indirectamente soy la responsable.

—Aun así, no es justo que te culpen. Los beneficios del despertar de las fuentes son mucho mayores que los problemas que puedan provocar esas pobres gentes con sangre de los antiguos sirénidos en sus venas. De todas formas, hemos cometido muchos errores, esa es la verdad: subestimamos la cantidad de «malditos» que hay diseminados por toda Decia. ¿Quién iba a pensar que podían llegar a unirse contra nosotros? A mí nunca me han dado más que lástima.

—Quizá lo único que quieran sea atraer la atención hacia las injusticias que se han cometido con ellos y dejar de sentirse excluidos. Decia es su país, no creo que pretendan empezar una guerra contra su propio pueblo.

—No lo sabemos, Kira. Todo es muy confuso. Edan partió anteayer hacia la ruta oriental para tratar de impedir nuevos ataques. Si es posible, tratará de apresar vivos a algunos de esos forajidos para interrogarlos y averiguar qué es lo que pretenden.

—¿Hace dos días que partió? Nadie me había dicho nada.

Moira se quedó un momento callada, dejando vagar sus ojos por la habitación. Finalmente, su atención regresó a mí.

—Tienes que darle una oportunidad. Sé que te ha herido, pero antes o después habrás de perdonarle. No tienes muchos amigos en Decia, Kira, y en él puedes confiar.

—Yo no lo creo así.

—A mí nunca me ha decepcionado —replicó Moira muy

seria—. Su lealtad hacia su familia es inquebrantable, ya lo has visto. Y ahora, tú también formas parte de esa familia.

—No es cierto. Soy una prisionera de un país enemigo que se va a casar con el rey de Decia obligada por las circunstancias.

—Es una forma extraña de llegar al trono. Sin embargo, no por eso vas a ser menos reina. Tienes que dejar de sentirte como una prisionera, Kira. Nadie te trata como si lo fueras.

—Yo no estoy tan segura de eso.

—He estado hablando con mi hermano. Si crees que Edan se siente orgulloso de lo que te ha hecho, te equivocas, y mucho. Ha sido muy duro para él, tanto como para ti. Ha sacrificado sus propios deseos y sus sentimientos por el bien del país. Lo único que te pido es que seas paciente con él, que no rechaces sus esfuerzos por ayudarte... Estás en peligro, Kira. Tienes que dejar a Edan que te proteja. Por favor..., prométeme que lo harás.

* * *

Le prometí a Moira que le haría caso para que se fuese tranquila. Por supuesto, eso no significa que haya perdonado a Edan. No quiero su protección: no quiero estar en deuda con él. Si corro algún peligro, tendré que aprender a defenderme yo misma. Estoy harta de depender de los demás.

A fin de cuentas, yo poseo un poder que ni Edan ni Moira ni Kadar tendrán nunca. Tiene que existir una manera de usarlo para protegerme a mí misma. Solo tengo que descubrirla.

Edan ha regresado esta tarde de su expedición a la ruta oriental. Dunia acaba de venir a decírmelo a mi habitación, muy agitada. Trae un mensaje para mí... El hermano del rey me espera en el jardín de las rosas, y debo acompañarla allí de inmediato.

Ni siquiera me da tiempo a cambiarme de ropa. Me reprocho a mí misma que eso me importe. Lo que piense Edan debería serme indiferente. Debería...

Incluso pensando así, antes de abandonar la estancia me echo una rápida ojeada en el espejo. La túnica lisa de color verde oscuro no me queda tan mal. Y aunque parezca absurdo, eso me infunde valor... Hace que presentarme ante Edan no me resulte tan duro.

Me extraña encontrarlo con la capa de viaje todavía puesta, sucia del polvo del camino. Al verme, se inclina en una breve reverencia. Respondo a su saludo inclinando la cabeza levemente, como es costumbre, según he visto, entre las damas de la corte.

—¿Queríais verme? —le pregunto.

El trato de cortesía le desconcierta un poco, pero reacciona deprisa.

—Sí, espero no haberos importunado. Debo informaros sobre la situación, porque es más grave de lo que creíamos... y va a afectar a nuestros planes.

Me indica un banco de piedra bajo un rosal trepador con grandes flores amarillas. Me siento en él, y Edan se sienta a mi lado.

—Mi hermana os ha informado sobre los incidentes en la ruta oriental, según creo. Me aseguró que lo haría.

—Lo hizo, antes de partir.

—Bien. Lo que no pudo explicaros, porque ni ella misma lo sabía, es que no se trata de episodios aislados. Estamos ante una revuelta..., una revuelta en toda regla.

Intento digerir la información.

—¿De los... malditos?

Edan sonríe con amargura.

—No son solo los malditos. Alguien los está asesorando y dirigiendo. Alguien que sabe cómo manipularlos... Creo que tenemos hidrios infiltrados en Decia.

Me esfuerzo para que mi cara no deje traslucir la menor emoción.

—Eso parece muy improbable —digo en tono incrédulo.

—¿De veras? O sea, que no sabías nada de esto.

—Es una locura —afirmo sosteniéndole la mirada—. Si hubiese hidrios en Decia, lo primero que habrían hecho sería liberarme, ¿no crees?

—Tal vez. O tal vez no. No todos los hidrios están interesados en que recuperes la libertad y vuelvas a tu isla, ¿recuerdas?

Asiento con la cabeza.

—Aun así, me cuesta trabajo creer que pueda haber hidrios en Decia sin que yo me haya enterado —insisto—. ¿No te habrás equivocado?

—Es posible. En cualquier caso, los incidentes se están extendiendo por distintas zonas del país, y lo que más me preocupa es la reacción del pueblo, Kira.

—Sé que me culpan a mí.

—Algunos lo hacen —admite Edan sin ocultar su frustración—. Es completamente absurdo. Creí que, cuando vieran lo que estabas haciendo por las fuentes, te admirarían como a una heroína, pero con todo esto... Lo que está pasando es justo lo contrario. Los representantes de las aldeas de la región se reunieron con el gobernador a principios de semana. Le han rogado que impida el ritual en la fuente de Hebe.

No se me escapa la irritación de Edan contra su propia gente. Está claro que esperaba reacciones muy distintas.

—Si no quieren que continuemos, tal vez deberíamos esperar —me atrevo a sugerir—. Las aguas son un regalo para Decia, y como tal regalo deberían ser recibidas.

—Lo sé. Y pienso lo mismo. Esto no puede ser una imposición... Antes de seguir, deberíamos convencer a la gente de que lo que estamos haciendo es bueno.

—Entonces, ¿no vamos a ir a Hebe?

Edan hace un gesto ambiguo con las manos.

—No depende de mí, yo no puedo tomar esa decisión. He escrito al rey explicándole lo que ocurre y pidiéndole instrucciones. Si a Kadar le queda un gramo de sensatez, no nos obligará a continuar.

—¿Y si no? ¿Y si nos ordena que sigamos?

La voz me tiembla al formular la pregunta. Edan me mira pensativo.

—En ese caso, dependerá de ti —dice tras un breve silencio—. Solo tú eres capaz de invocar el poder de las fuentes... Y nadie podrá obligarte a seguir con esto si tú no quieres continuar.

CAPÍTULO 17

No hago más que preguntarme qué ha querido decir Edan con sus palabras. ¿Me estaba animando a rebelarme contra Kadar? ¿Él?

Rechazó enfrentarse a su hermano cuando tenía a toda la orden de los caballeros del Desierto dispuesta a seguirle. ¿Qué es lo que ha cambiado desde entonces?

Puede que Edan esté empezando a desconfiar de su hermano. Ya ha comprobado que Kadar no parece dispuesto a confiar en él. Y en el asunto de las fuentes... Edan es el que mejor sabe cómo están las cosas y la amenaza que suponen los disturbios, porque se está enfrentando a ellos cada día. Pero es posible que Kadar no quiera oír sus opiniones. Eso es lo que Edan teme, creo yo: que su hermano no comprenda la importancia del problema, y que desoiga sus consejos.

En todo caso, no pienso dejar que me utilice una vez más. Si quiere rebelarse contra el rey, que lo haga él solo. Además, ¿por qué iba a hacerle caso y desafiar a Kadar? Edan y yo no tenemos los mismos intereses. Él quiere lograr una paz duradera para Decia, a costa de lo que sea. Y yo quiero la libertad. Aunque tenga que ser a costa de una derrota de los decios.

Justo hoy han llegado noticias de Lyr. Es una carta del rey para su hermano... Dunia vino enseguida a contármelo, muy excitada. Por lo visto, no se esperaba la respuesta de Kadar hasta dentro de un par de días. Uno de los vigías de la muralla ha traído a palacio el tubo de hojalata que contiene el mensaje del rey. Las palomas volvieron a la misma torre desde la que habían sido enviadas, vigilada día y noche por una guardia especial de caballeros del Desierto en espera de su regreso.

Apenas han transcurrido un par de horas desde la llegada del mensaje, y Edan ya ha solicitado verme.

Como la otra vez, nos encontramos en la rosaleda del jardín. Edan lleva la armadura de cuero y la capa que los de su orden suelen utilizar en los viajes.

—¿Qué ocurre? —le pregunto.

—El rey ha ordenado que partamos hacia la fuente de Hebe en cuanto recibamos su carta. No quiere retrasar ni un día más la curación de la cuarta fuente.

Me quedo mirándolo, tratando de sondear el estado de ánimo que se oculta bajo su máscara de indiferencia.

—No es lo que tú le aconsejaste —murmuro.

—En realidad no me sorprende. Conociéndole, quizá debería haberle aconsejado lo contrario de lo que en realidad me parece razonable. Últimamente está visto que disfruta ignorando mis opiniones.

—No creo que ese sea el motivo principal de su decisión. Todos me habéis repetido mil veces que es un gran rey. Seguramente lo que ha ordenado es lo que le parece mejor para Decia.

—Ya. Pues se equivoca —Edan arranca una rosa de color marfil de uno de los arcos del paseo, y se queda mirándola, como si no supiese qué hacer con ella—. Lo principal ahora es sofocar las revueltas y darle tiempo a la gente para que se tranquilice. Yo debería quedarme aquí en Igrid, dirigiendo las operaciones contra esos grupos de guerrilleros descontrolados, en lugar de alejarme del problema.

—Pues eso tiene fácil solución: quédate... Para el ritual de las fuentes solo hago falta yo. Asígname una escolta fiable y envíame a Hebe con ella. Así podrás permanecer aquí haciendo lo que realmente quieres hacer.

Edan me mira con una sonrisa de incredulidad.

—O sea, que piensas seguir adelante con esto.

—¿Por qué no? —le contesto, desafiante—. Es lo que el rey ordena, y no tengo ningún buen motivo para desobedecerle.

—Tienes el mejor motivo posible: está en juego tu seguridad.

Se me escapa una carcajada.

—Demasiado tarde para pensar en eso, después de todo lo que me ha pasado desde que llegué a Decia. No, Edan. Tú puedes hacer lo que quieras. Yo deseo ir a Hebe.

Al no haberle dado la respuesta que esperaba, Edan me mira con una sonrisa en la que se mezclan la frustración y el desprecio.

—Quizá todo esto te alegre —observa en un tono que me sorprende por su hostilidad—. Los malditos son tu gente, y cuantos más problemas tengamos con ellos, mejor para ti... Eso es lo que piensas, ¿verdad?

—No. Lo que pienso es que los días en que tú podías obligarme a hacer tu voluntad han quedado muy lejos. No intentes engañarme ni manipularme, Edan. No vas a conseguir nada.

Se le escapa un suspiro de resignación. Parece que no va a intentar hacerme cambiar de idea. Me conoce lo suficiente como para saber que sería inútil.

—Está bien. En ese caso, daré la orden de que ensillen los caballos. Partiremos después del almuerzo.

—Entonces, ¿tú también vienes?

Una sonrisa burlona ilumina su cara.

—Por supuesto... Me han asignado la misión de protegerte, ¿recuerdas? Yo voy adonde tú vayas... Siempre detrás de la prometida del rey.

* * *

Después de tantos días de inactividad en Igrid, volver a emprender un viaje resulta estimulante..., pero también me da cierto miedo, con todo lo que está pasando.

Sin Moira y su palanquín avanzamos más deprisa, de modo que no tardamos en dejar atrás las murallas doradas de Igrid. La carretera desciende hacia un valle amplio por el centro del cual discurre el río Siges, uno de los más largos de Decia, y también uno de los pocos que nunca ha llegado a secarse completamente, pese a los problemas de las fuentes sagradas.

A ambos lados del camino, las laderas del valle están cubiertas de brezos morados y retamas amarillas. Es uno de los paisajes más amables que me he encontrado hasta ahora en este árido país. Los hombres de Edan parecen relajados, y mientras cabalgan van charlando entre ellos.

Edan se encuentra entre los primeros de la comitiva, y la mayor parte del tiempo ni siquiera logro distinguir su silueta entre las que le rodean. Pero Edan no es lo que me preocupa ahora. Tengo un problema más urgente.

Ese talismán que compré en Igrid me está abrasando la piel por debajo de la túnica. Esta tarde, antes de que Dunia comenzase a empaquetar mis cosas, no sé por qué sentí el impulso de ponérmelo. Quizá la arcilla o la pintura dorada del amuleto lleven algún componente irritante, porque la quemazón no hace más que aumentar.

Hace un momento me he palpado la piel justo debajo del

colgante: la tengo hinchada y caliente, y creo que se me están empezando a formar ampollas. Me da un poco de lástima, porque el diseño de las tres espirales me gusta mucho, a pesar de su tosquedad; pero si esto sigue así, al final no voy a tener más remedio que quitármelo.

No tiene sentido seguir soportando este dolor. Empeora a cada minuto... Aprovecho que nos hemos detenido para que los hombres retiren el tronco de un árbol caído que yace atravesado sobre la carretera, y me quito el colgante.

O al menos... lo intento.

No sé qué me ha pasado. Apreté el amuleto en la mano y de pronto me inundó la sensación de que algo me arrastraba a toda velocidad hacia el borde de la carretera. Vi las manchas amarillas y violáceas de los arbustos a nuestro alrededor, y una fuerza desconocida seguía tirando de mí. Iba a conseguir arrojarme al suelo...

Justo antes de que todo se volviera negro, distinguí a cuatro hombres. Llevaban pañuelos oscuros que les ocultaban la mitad inferior del rostro, y se escondían entre unos árboles escuálidos. Nos vigilaban... Solo reconocí los ojos de uno de ellos: era Ode.

Me han dicho que no llegué a caerme del caballo, que Dunia lo impidió. Me bajaron entre Dunia y uno de los hombres de Edan y me llevaron a la orilla del camino.

No sé cuánto tiempo he estado aquí tendida. Tengo la sensación de haber dormido, y de que el sueño no fue desapacible. Al despertar, me ha sorprendido el frío que hace. Y el color azul oscuro del cielo... ¿Cómo es posible que ya haya anochecido?

Al incorporarme, me encuentro con el rostro desencajado de Edan.

—Kira... ¿Estás bien? Te has desmayado.

Le aseguro que me encuentro perfectamente. Es curioso,

porque en efecto me siento descansada y con ganas de seguir adelante. El desvanecimiento no me ha dejado la menor secuela, aparte del recuerdo de lo que vi instantes antes de dormirme.

Ode y los suyos. Ha sido una visión, y como la última vez, me ha asaltado a través del talismán que compré en las calles de Igrid. Es evidente que su magia es muy poderosa. Pero... ¿dónde está? Debió de caérseme cuando me bajaron del caballo.

—¿Lo tienes tú? —le pregunto a Edan.

—¿Yo? ¿De qué me hablas?

—De mi colgante —me llevo la mano al centro del escote, donde la quemadura que me ha dejado la joya sigue roja e inflamada.

—No he visto ningún colgante, pero desde que perdiste el conocimiento no hemos avanzado ni un paso, así que tiene que estar por aquí, o en la carretera. Espera, le diré a Dunia que me ayude a buscarlo con una antorcha.

En los minutos siguientes, varias personas se dedican a examinar cada palmo de tierra entre el lugar donde estoy sentada y el punto de la carretera donde se produjo la caída. Las antorchas van y vienen, muy cerca del suelo. Siguen así durante un buen rato, y luego, poco a poco, las veo dispersarse...

Por lo visto, no han encontrado nada.

CAPÍTULO 18

Hemos tenido que cabalgar hasta bien entrada la noche para recuperar el tiempo perdido por culpa de mi desvanecimiento.

Por fin hemos hecho alto... El lugar que ha elegido Edan para montar las tiendas es una pradera junto al río, justo en el punto en el que el valle se abre antes de llegar a las marismas de Arda.

A partir de este punto nuestra ruta se aparta del río. Mañana atravesaremos la sierra que separa este valle de la Estepa del Viento. El nombre es bastante elocuente, y según he oído, más que adecuado para la inhóspita región que vamos a cruzar. Dicen que los caballos odian la estepa porque el silbido constante del aire en sus oídos los vuelve locos.

Veremos si se trata o no de una exageración. Pero eso será mañana... Ahora toca descansar.

Mi tienda está en el centro del campamento, rodeada de las tiendas de lona negra de los hombres de Edan. Elia y Dunia han preparado la cama y encendido las velas, y hace un rato que se retiraron a dormir.

No he cenado más que un pedazo de queso y unas uvas.

Dunia se ofreció a traerme unas costillas asadas que estaban preparando los hombres en una parrilla, pero le dije que no tenía apetito.

Lo único que me apetece es cerrar los ojos, olvidarme de todo lo que ha ocurrido durante la jornada y dejarme arrastrar por el sueño. Necesito despreocuparme de lo que sucederá mañana, en los días siguientes, y de lo que siente o no siente Edan, y de los planes del rey.

Estoy demasiado cansada...

Demasiado cansada para pensar.

* * *

Me dormí pronto.

Más tarde, en algún momento, me despertó un ruido de voces y de pisadas de caballos sobre la hierba.

Me levanté de la cama temblando de frío, me eché el cobertor sobre los hombros y me acerqué a la entrada de la tienda para ver qué ocurría.

Las hogueras del campamento aún seguían encendidas, pero no vi a ninguno de los hombres de guardia. Si habían oído algún ruido sospechoso, como yo, probablemente habrían ido a echar un vistazo.

Regresé a la cama y cerré los ojos... Estaba quedándome dormida de nuevo cuando, de pronto, tuve la sensación de que alguien me observaba.

Al principio no me atrevía a volverme en la cama. Todas las velas estaban apagadas cuando me acosté, pero ahora, incluso sin darme la vuelta, podía percibir una débil claridad detrás de mí.

Por fin, me armé de valor y me di la vuelta.

Se me escapó un grito. Había un enmascarado en mi tienda.

Al ver que había despertado, se abalanzó sobre mí y me

tapó la boca para que no volviese a gritar. Forcejeé con él para que me soltara, pero sus brazos parecían de acero. A la luz de la lámpara de aceite que había encendido el intruso, distinguí sus ojos oscuros y levemente rasgados por encima del pañuelo que le tapaba la parte inferior de la cara. Era Ode.

Me fijé en que iba vestido como un caballero del Desierto, con un peto de cuero y la capa plateada. Era un buen ardid: de esa forma, si alguien en el campamento lo veía pasar, no lo tomarían por un intruso.

Cuando él se dio cuenta de que le había reconocido, me soltó.

—Tranquila —dijo en voz baja—. Soy yo, Kira... Por fin. Por fin. ¡Cuánto tiempo!

Miré hacia la puerta, temerosa de que alguien pudiera entrar en cualquier momento.

—¿Cómo has podido colarte aquí? Estoy rodeada de gente armada, Ode. Esto es muy peligroso.

—Lo sé. Solo tenemos unos minutos. El señuelo los entretendrá un rato, pero antes o después se cansarán de perseguirlo.

—¿Qué señuelo?

Ode se desató el pañuelo negro que le cubría la cara. Sentí alivio al comprobar que su sonrisa seguía siendo la de siempre.

—Dos de mis hombres han estado armando un poco de jaleo para atraer la atención de tus perros de presa. Han salido detrás de ellos... No te preocupes, nadie nos molestará.

Aparté las sábanas y me senté en la cama. Busqué con la mirada la túnica de viaje. ¿Dónde la había dejado Dunia? Ah, sí, sobre el arcón... Me dirigí descalza hacia allí para ponérmela sobre la camisa de dormir, mientras Ode me observaba con expresión risueña.

—Lista —dije, terminando de ceñirme el cordón dorado alrededor de la cintura—. Podemos irnos cuando quieras.

La sonrisa de Ode se disolvió lentamente.

—No, Kira, no he venido a llevarte conmigo. Tenemos que hablar... y tenemos que hacerlo rápido.

Me senté en la cama, perpleja. No podía dejar de mirarle.

—No entiendo... ¿Por qué no? ¿No es a lo que has venido?

—No exactamente. Todo es bastante complicado. Por eso necesito que me escuches.

Aquello no tenía sentido para mí. ¿Qué hacía Ode en mi tienda, si no quería rescatarme?

—Estás aquí por mí, lo sé —afirmé, mirándole a los ojos—. He tenido varias visiones en las que aparecías tú. Sé que me seguiste desde Hydra, que has estado buscándome... En Igrid creo que llegamos a estar muy cerca.

—Sí. Han sido meses muy difíciles, pero ahora por fin nuestro sufrimiento empieza a dar sus frutos. ¿Te has enterado de lo que está pasando, Kira? La sangre de los sirénidos aún es poderosa en Decia, y gracias a ti ha empezado a despertar. Nos necesitan. Son como niños que aún no han aprendido a caminar. Su magia puede llegar a ser fuerte, pero necesitamos tiempo.

A medida que hablaba, un fulgor sombrío se iba apoderando de sus ojos.

—Pero, Ode..., eso no tiene nada que ver conmigo —me atreví a decir.

—¿Cómo que no? Esto lo has hecho tú, Kira. No habría sido posible de no ser por ti. Y por eso es tan importante que continúes hasta que todo el poder de las aguas sagradas de Decia haya despertado.

—¿Para eso has venido? —le pregunté—. ¿Para pedirme que siga siendo una prisionera, un instrumento en manos de los decios?

—No eres su instrumento, sino el nuestro. ¿No te das cuenta? —contestó Ode entusiasmado—. Te han dado la oportunidad de despertar los dones que estaban dormidos en toda esa pobre gente. Es todo un ejército dispuesto a seguirnos. Pero necesitamos más. El resto de las fuentes deben despertar, y deben hacerlo cuanto antes. Por eso tienes que terminar tu labor aquí, Kira. Después, cuando todo acabe, volveré a buscarte y regresaremos juntos a Hydra.

No podía creer que Ode me estuviese hablando así. Era como si yo ya no importase, como si ni siquiera me viese.

—Supongo que sabes que el rey Kadar va a obligarme a que me case con él... —murmuré—. ¿Eso forma parte del plan?

Por primera vez capté cierta turbación en sus ojos.

—Intenta retrasarlo, si puedes. Con un poco de suerte, terminaremos con esto antes de que la boda se celebre.

—Y si no...

Ode desvió la mirada.

—Me han dicho que no te trata mal. Ni él ni nadie de la corte. Si no, no te pediría este sacrificio, Kira. Es que estamos tan cerca de la victoria... Piensa en nuestro pueblo, en todo lo que hemos sufrido.

—¿Crees que desatar una guerra civil en Decia va a arreglar los problemas de Hydra? —estallé, sin poderme contener—. Hay traidores en Argasi, Ode, personas dispuestas a vender su país a cambio de más poder. La dama Ilse, por ejemplo.

Ode arqueó las cejas, impaciente. Era evidente que no le interesaba escucharme.

—Todo eso ya se verá cuando acabe la guerra. Lo primero es detener a Kadar, obligarle a retirar su flota. No atacará nuestra isla si tiene un nuevo frente abierto en su propio país.

—Kadar no es tan previsible como tú crees —dije, irritada por la seguridad de Ode—. Tú no le conoces como yo.

Ode me miró pensativo.

—¿Es cierto que está loco por ti? Eso facilitaría las cosas.

—Para mí no, te lo aseguro.

—O sea, que es verdad.

No me molesté en contestar. ¿Para qué? Ode estaba convencido de tener todas las respuestas.

Noté que vacilaba un momento antes de proseguir.

—Si te quiere, nada de lo que pase le hará cambiar sus planes respecto a ti. Dentro de poco, las cosas se complicarán... y para mí es un alivio saber que tú estarás a salvo.

Dejé escapar una carcajada de incredulidad.

—A salvo. No tienes ni idea de lo que es esto, Ode. Vivo rodeada de enemigos, ¡me vigilan constantemente!

—No me interpretes mal. Me imagino que debe de resultar muy duro, pero al menos tu vida no corre peligro. Y ahora que tenemos a la princesa...

Se interrumpió al captar el horror en mi mirada.

—Ode. Ode, ¿qué habéis hecho? ¿Qué le habéis hecho a Moira?

Ode me hizo un gesto para que bajase la voz.

—Nada, no le hemos hecho nada. Necesitábamos un rehén importante, y ella nos lo puso en bandeja cuando decidió irse sola a Asura.

—No iba sola. Una escolta de más de veinte hombres la protegía.

Ode sonrió.

—No los suficientes. No te preocupes por ella, no soy ningún monstruo. Estará bien... si su hermano quiere que lo esté.

—No lo entiendes. Moira necesita cuidados especiales, tiene muchos problemas de salud —le expliqué, cada vez más agitada—. Si no recibe la atención que necesita, podría enfermar...

—Te preocupas mucho por ella. Ni que fuera tu hermana... Hace un momento no hablabas así de los decios.

—Moira siempre me ha tratado bien —repliqué desafiante—. No se merece esto. No te reconozco, Ode... ¿En qué te has convertido? Y pensar que durante todos estos meses he esperado... ni siquiera sé qué.

Ode me tomó de la mano, y cuando intenté retirarla la apretó con más fuerza. Nuestros ojos se encontraron.

—Estamos en guerra, Kira. Y necesitamos ganar. Si perdemos, piensa lo que le ocurrirá a la gente como nosotros en Hydra. Los perseguirán por sus dones, como han hecho aquí. Los torturarán, los excluirán del trato con los demás, los llamarán malditos.

—Las cosas pueden cambiar. Kadar no hará eso si yo...

No terminé la frase; Ode lo hizo por mí.

—Si tú eres su reina. Tal vez; pero no podemos arriesgarnos. Tengo que irme, Kira. Me ha parecido oír algo ahí fuera. Sobre lo que te he dicho de la princesa... no cuentes nada, es muy peligroso. Ellos no saben todavía que la tenemos secuestrada. Las noticias aquí circulan despacio. Y cuando se enteren, pensarán que la ha raptado una banda de malditos sin ninguna relación con nosotros. No saben lo organizados que estamos. No tienen ni idea.

—Ode, suéltala —dije, agarrándole por un brazo—. Ella no os hace falta. Por favor, hazlo por mí...

Pero Ode ya no me prestaba atención. Se dirigía a la entrada de la tienda, donde una figura alta se recortaba en la penumbra.

—¿Qué tiene que hacer por ti este hombre, Kira?

Un estremecimiento me recorrió de pies a cabeza. Era Edan.

CAPÍTULO 19

No vi en qué momento sacaba Ode su puñal. Cuando se lanzó sobre Edan ya lo tenía en la mano.

Me llamó la atención su empuñadura de oro con incrustaciones de azabache, una combinación que nunca había visto antes. No obstante, lo más estremecedor era la forma en que Ode lo sujetaba, como si fuese una prolongación natural de su brazo.

Edan arqueó un poco las rodillas y desenvainó la espada. La cruzó ante su pecho justo a tiempo para cambiar la trayectoria del puñal de Ode. El choque de los dos aceros se repitió tres veces más en los instantes siguientes: metal contra metal, dejando en el aire un eco cristalino.

Ode era el más agresivo en sus ataques. Se movía con rapidez, esquivaba un golpe y lanzaba el siguiente, avanzando y retrocediendo con sorprendente agilidad. ¿Dónde había aprendido a pelear así? El Ode que yo conocía era un chico soñador y alegre, interesado en seguir los pasos de su padre y en llegar a dominar su magia. ¿Cuándo se había convertido en aquel hombre sombrío y violento que parecía disfrutar luchando?

Edan, por su parte, se limitaba a parar los golpes y a esperar el siguiente ataque. No tenía prisa. Me di cuenta de que estaba administrando sus fuerzas mejor que Ode. Intentaba cansar a su oponente... Y daba la sensación de que no quería herirlo, tan solo entretenerlo e impedir que huyera.

Al principio me quedé paralizada. El miedo que sentía lo envolvía todo en una espesa atmósfera de irrealidad. Era como si aquello no estuviese ocurriendo de verdad, como si fuese un sueño, una pesadilla.

Pero estaba pasando... y yo estaba dejando que pasase.

En algún momento, el resplandor de unas llamas lamiendo la cortina de mi lecho me hizo reaccionar. Arrojé una manta sobre el fuego, provocado por un candelabro que Ode había derribado en el combate.

Las llamas murieron en unos instantes, dejando tras de sí un denso rastro de humo.

Una vez extinguido el incendio, corrí hacia Ode.

—Déjalo —le grité, agarrándole el brazo con el que sujetaba el puñal—. Ya basta...

Ode me empujó hacia atrás con violencia para librarse de mí. Caí al suelo, con tan mala suerte que mi cabeza se golpeó contra el arcón de la ropa. Por un momento lo vi todo borroso. Cuando conseguí enfocar de nuevo la mirada, el equilibrio del combate se había roto. La espada de Edan yacía en el suelo, fuera de su alcance. Probablemente mi caída le había desconcentrado...

Ode se lanzó sobre él. No lo alcanzó a la primera; a la segunda sí, aunque de refilón. Vi el corte en el jubón negro de Edan, una abertura diagonal en el costado derecho. Y le vi doblarse de dolor, aunque no dejó escapar ni un gemido.

Creí que se iba a caer al suelo. Y Ode también lo creyó, porque se quedó mirándolo inmóvil, como esperando a ver qué ocurría.

Fue un grave error, porque Edan solo estaba intentando ganar tiempo. Cuando parecía que se iba a caer hacia delante, sus piernas se enderezaron con una rapidez asombrosa, y en dos zancadas recuperó la espada.

En cuanto la tuvo en la mano, se volvió hacia Ode con un grito salvaje. Contuve un chillido. Se la había clavado en el hombro. Ode retrocedió con los ojos vidriosos, llevándose una mano a la herida. Sangraba mucho...

En el instante en que Edan iba a atacarle de nuevo, Ode le lanzó el puñal igual que si fuera un dardo; le acertó en el muslo izquierdo. Mientras Edan intentaba desclavarse el arma, el otro corrió tambaleándose hacia la entrada de la tienda.

Edan trató de seguirle, pero cojeaba demasiado. Tenía la pierna llena de sangre... Llegó a salir de la tienda, y le oí gritar pidiendo a sus hombres que persiguieran al fugitivo, pero al cabo de unos instantes regresó.

Apenas podía sostenerse en pie. Le ayudé a llegar hasta mi cama y a tenderse en ella. La herida del muslo continuaba sangrando abundantemente. Con una fuerza que no creía tener, conseguí rasgar un extremo de las sábanas para hacerle un torniquete y detener la hemorragia.

Edan me observaba con la cabeza erguida sobre la almohada. Cada pocos segundos, su rostro se contraía en una mueca de dolor.

Cuando terminé de vendarle la herida de la pierna, pasé a examinar la del costado.

—Es solo un rasguño —murmuró él con voz débil—. Déjalo, ya has hecho bastante.

—Hay que llamar a un médico —dije—. Tiene que verte enseguida.

—Ahora no. Antes tenemos que hablar. ¿Qué te ha dicho, Kira? No intentes mentirme. Le he reconocido, es el hijo de tu antiguo maestro... ¿Qué hace aquí?

Me agarró una mano con las dos suyas. Sus dedos parecían de hierro... Por lo visto, las heridas que había recibido no habían mermado su energía.

—Vino detrás del barco en el que me trajiste a Decia —contesté en voz baja—. Para rescatarme.

—Para rescatarte... Sin embargo, no lo ha intentado nunca, hasta ahora. ¿Por qué ha tardado tanto?

—No lo sé. Apenas hemos intercambiado unas palabras.

Forcejeé para liberarme de sus manos, porque me estaba haciendo daño.

Él me soltó.

—No lo entiendo... —Edan se pasó una mano por la frente, perlada de sudor—. ¿Por qué se puso a hablar contigo, en lugar de sacarte del campamento rápidamente? El plan era bueno, habían conseguido engañarnos. Y luego... ha malgastado su ventaja de una manera absurda.

Me estudió largo rato, hasta que un nuevo pinchazo de dolor le hizo cerrar los ojos.

Cuando los volvió a abrir, su expresión había cambiado. Parecía perplejo, y, al mismo tiempo, aliviado.

—Le has dicho que no —dijo—. Por eso se ha quedado tanto rato... Intentaba convencerte.

—Te equivocas. No le he dicho que no, ¿por qué iba a hacerlo? Soy una prisionera aquí. Llevo meses esperando este momento, el momento de que me liberen.

—Pero entonces...

—No ha sido decisión mía, sino suya —le interrumpí, dando rienda suelta a mi frustración—. No ha venido para rescatarme.

Sabía que era una imprudencia confesarle aquello a Edan, pero en ese momento no pude controlarme. Necesitaba sacar toda la rabia que llevaba dentro. Ode me había fallado, y era la única esperanza que me quedaba. Me había utilizado y pretendía seguir utilizándome, como todos. Tenía derecho a desesperarme.

Edan me observaba con curiosidad.

—Quiere que sigas —murmuró—. Quiere que sigas con la curación de las fuentes. Claro, el objetivo no eres tú... Es ganar esta guerra.

Trató de incorporarse, pero el dolor del costado no se lo permitió. Frustrado, dejó caer la cabeza sobre la almohada.

—Esto es de locos, Kira —dijo, con los ojos clavados en la lona púrpura del techo—. Nunca debí traerte aquí. Las cosas no han salido como yo esperaba.

—¿Por qué dices eso? Esperabas que me convirtiera en la esposa de tu hermano, y eso es lo que va a ocurrir.

Mi tono irónico consiguió irritarle, lo vi en sus ojos.

—Esa era la parte más dolorosa del plan. Sacrificarlo todo: a ti, a mí... Esperaba que, a cambio, consiguiésemos poner fin a esta locura de la guerra. Y resulta que ha sucedido todo lo contrario.

—Yo no tengo la culpa de lo que está pasando —me defendí.

—Lo sé. Toda la culpa es mía. Sin darme cuenta, te he convertido en un arma contra mi propio país. Cuanta más agua sagrada fluya por los ríos de Decia, más fuertes se harán nuestros enemigos.

—Los malditos, como vosotros los llamáis, no serían vuestros enemigos si los hubierais tratado bien. Al contrario... Son decios.

—Subestimé el problema. Es algo que viene de muchas generaciones atrás, no pensé que pudiera resucitar con tanto vigor, después de siglos. Ojalá pudiera arreglarlo, Kira. Si hubiera una forma...

Se quedó mirándome con una mezcla de tristeza y esperanza en los ojos. Una mezcla que no supe cómo interpretar.

—Ya es tarde para arreglarlo —susurré—. La guerra ha llegado a Decia, y nada de lo que puedas hacer cambiará las cosas. Esto terminará cuando unos ganen y otros pierdan. Los tuyos o los míos. No hay otra salida.

—Tal vez sí la haya —Edan intentó incorporarse de nuevo, y esta vez lo consiguió—. Sé que he sido un imbécil, Kira, y un ciego. Tú tenías razón y yo estaba equivocado. He estado equivocado todo este tiempo, y sé que te he hecho daño..., mucho daño. Sin embargo, todavía no es tarde para rectificar. Me hiciste una propuesta y yo la rechacé, pero si me das otra oportunidad... Quiero aceptarla, Kira. Quiero dejar atrás toda esta pesadilla y empezar de nuevo contigo. Una nueva vida para los dos... y para Decia.

Le sostuve la mirada unos instantes, sin tratar de disimular mi asombro.

—¿Me estás diciendo que..., que ahora quieres..., lo dices de verdad?

Mi pregunta pareció infundirle valor. Alargó una mano para acariciarme la mejilla. Una caricia muy leve, apenas un roce. Como si no se atreviera a llevarla más lejos.

—Perdóname, Kira. Perdóname por todo lo que te hecho. Creía que era lo correcto, pero estaba en un error. Debemos estar juntos: solo así arreglaremos este desastre. Tú puedes controlar a Ode, si te lo propones, y yo... estoy dispuesto a enfrentarme a Kadar, si es necesario.

De pronto comprendí lo que me estaba proponiendo. Comprendí a qué obedecía su cambio de actitud. No se trataba de sus sentimientos hacia mí, eso no había cambiado. Lo que había cambiado era la situación del país.

Decia estaba en peligro. Ode y los suyos habían conseguido infiltrarse y organizar una peligrosa resistencia interna. El agua de las fuentes sagradas no tardaría en inclinar la balanza del lado de los hidrios... No obstante, la situación podía dar la vuelta si yo me negaba a seguir sanando las fuentes.

—No puedo creer que me lo hayas propuesto —murmuré, controlando a duras penas mi cólera.

—¿Por qué? —Edan me escrutó con sus penetrantes ojos claros—. Era lo que tú querías. Y ahora, yo también lo quiero.

—No. Tú y yo no queremos lo mismo, nunca querremos lo mismo. Yo quería huir contigo y olvidarme de esta maldita guerra. Quería estar contigo, por encima de todo lo demás. Tú lo que quieres, en cambio, es proteger a tu país... Protegerlo de mí. Quieres utilizarme, como todos los demás.

Meneó la cabeza con gesto herido. No dejaba de mirarme.

—No hables así, Kira. ¿Cómo puedes hablarme así? Yo te quiero.

—Ahora. Ahora que de repente me ves de nuevo como un peligro. No ayer, ni anteayer, ni cualquiera de los días que has pasado ignorándome. Reconoce que es bastante sospechoso.

Sus ojos se ensombrecieron, y su expresión de asombro se transformó en un rictus de incredulidad.

—No es posible que pienses eso de mí. ¿Cómo puedes sospechar que...? Kira, creía que me conocías mejor.

El rumor de gritos y voces fuera de la tienda atrajo nuestra atención. Alguien se acercaba.

—Quizá le hayan apresado —murmuré.

—¿Eso te preocuparía?

Me encaré con Edan.

—Claro que me preocuparía. Está aquí por mí. Vino desde Hydra para salvarme.

—Y cambió de opinión.

—Puede ser. Pero eso no significa que desee su muerte. Eh, ¿qué haces? No puedes irte con la pierna así.

Edan se había puesto de pie con un gesto de dolor. Me miró con fijeza.

—Lo que no puedo es quedarme aquí. Te metería en problemas. Si Kadar se enterase...

—No digas estupideces, ¡estás herido!

Edan me puso las manos en los hombros. Hacía tiempo que no lo veía así, tan cerca, su rostro estudiándome en la penumbra.

—Dime que lo pensarás, Kira. Estás nerviosa, han pasado muchas cosas. Puedo entender que necesites tiempo. Esperaré...

—No. No esperes. Me has hecho daño demasiadas veces, Edan... Y no pienso dejar que vuelva a suceder.

CAPÍTULO 20

Han pasado siete jornadas desde la visita de Ode a mi tienda. Cada una ha sido más difícil que la anterior.

Cuando me enteré de que Ode había logrado escapar, al principio sentí alivio. Luego, empecé a pensar en Moira. ¿Dónde la tendrían? ¿Qué pensarían hacer con ella? No acababa de ver clara la estrategia de Ode, ni qué esperaba conseguir reteniendo por la fuerza a la princesa. Parecía una declaración explícita de guerra... Sin embargo, no lo sería mientras él y su grupo no reivindicasen el secuestro y sus intenciones.

Edan se empeñó en reanudar el viaje al día siguiente del ataque de Ode, a pesar del penoso estado en el que se encontraba. Uno de sus hombres, versado al parecer en medicina, le recomendó que aguardase unos días antes de ponerse en camino, pero él se negó. Quería partir cuanto antes, como si tuviera prisa.

En todos estos días no le he oído quejarse ni una sola vez. Desde la primera jornada cabalga a la cabeza de la caravana acompañado de sus guerreros de confianza, como ha hecho siempre. Conmigo apenas habla... Solo se dirige a mí para darme alguna instrucción relacionada con el viaje, y si yo le pregunto por sus heridas me contesta con monosílabos.

Ojalá las cosas hubiesen sido diferentes. A veces, durante estas jornadas interminables atravesando la Estepa del Viento, me he preguntado si he cometido un error. Edan me ofreció huir con él. Hace tan solo unas semanas, habría dado cualquier cosa por escucharle hacerme esa proposición. Y si hubiese sucedido de otra manera...

Pero no. Solo se le ocurrió la idea de pedírmelo cuando fue consciente del peligro que suponen Ode y los suyos para Decia. Edan haría cualquier cosa por salvar a este país: incluso traicionar a su hermano y escapar conmigo.

Por eso sé que tomé la decisión correcta, lo cual no hace que sea menos doloroso... Al contrario.

Creía que la relación entre nosotros no podía empeorar más, pero me equivocaba. Aún faltaba lo peor.

Ocurrió en la cuarta jornada después de la noche en que Ode escapó, cuando en una aldea del trayecto nos encontramos esperándonos a un mensajero procedente de Asura. Traía una carta de Cyril, el nuevo Gran Maestre, para Edan. El propio Edan me llamó para informarme de su contenido.

Se había instalado en un pequeño comedor privado que daba al patio trasero de la posada de la aldea. Lo encontré solo, bebiendo una jarra de cerveza caliente y especiada mientras contemplaba ensimismado el fuego de la chimenea. La habitación olía a carne ahumada y a las hierbas aromáticas que colgaban en ramilletes de las vigas del techo.

Al verme entrar, Edan me indicó un asiento junto al suyo y me ofreció con un gesto un trago de aquel brebaje color miel que estaba tomando. Yo acepté el asiento y rechacé la bebida.

Durante un buen rato no dijo nada, y llegué a creer que se había olvidado de mi presencia, completamente absorto en la contemplación de las llamas de la chimenea. Bruscamente, se volvió a mirarme.

—Han secuestrado a Moira. El Gran Maestre me ha escrito para decírmelo.

Tragué saliva. Debería haberle preguntado quiénes lo habían hecho y por qué, pero no tuve ánimo ni fuerza de voluntad para fingir una sorpresa que no sentía.

Mi silencio no le pasó desapercibido.

—Ha sido Ode, ¿verdad? —susurró, mirándome con ojos como brasas—. Kira..., lo sabías y no me dijiste nada.

—Me aseguró que estaría bien, y que se ocuparían de su salud.

Edan se levantó de la mesa con tanta violencia que volcó la silla. No dejaba de mirarme.

—Le mataré —siseó—. No debí dejarlo con vida. Si hubiera sabido que tenía a Moira... No sé cómo has podido ocultármelo.

—Es mejor que Ode esté vivo, Edan —me puse en pie y busqué su mirada, pero él caminaba febrilmente de un lado a otro, arrastrando la pierna herida y con la vista ahora fija en el suelo—. Ode no es ningún criminal. Sé que no le hará ningún daño a Moira, estoy completamente segura. Le conozco.

Se volvió hacia mí con expresión feroz.

—¿Ah, sí? En ese caso, me imagino que sabes lo que ha pedido a cambio de la vida de Moira.

—¿A cambio de su vida? —me estremecí, horrorizada—. Edan, yo no sabía...

—Quieren la liberación de todos los malditos que han sido arrestados en las redadas de las últimas semanas. Más de ochocientas personas a cambio de su libertad. Y tiene que ser antes de la próxima luna llena... Apenas quedan dos semanas.

—¿Qué ha dicho Kadar? ¿Lo sabes?

Edan emitió una seca carcajada.

—¡Kadar! Eso es lo mejor de todo, que no sabe nada. Ese idiota de Cyril fue el que recibió la carta de los secuestradores con sus exigencias, y en lugar de enviársela al rey, me la ha enviado a mí.

—Sabe que para sus hombres es más importante tu opinión que la del rey.

—¡Esto no es un problema de opiniones! —tronó Edan—. Es un problema de autoridad. ¿Qué quiere Cyril que haga yo? No tengo poder alguno para ordenar la liberación de los presos. Él sí podría hacerlo, en calidad de Gran Maestre, pero está esperando mis instrucciones... Y mientras tanto, Moira continúa cautiva.

—¿Qué vas a hacer? ¿Vas a escribir contándoselo al rey?

—Lo haría si supiera dónde está. Hace más de una semana que se separó de la flota, y desde entonces nadie parece tener muy claro adónde ha ido. Puede que haya decidido volver a Asura. ¿Qué más da? No hay tiempo para ir a buscarlo.

—¿Qué vas a hacer entonces?

—Iría yo mismo a buscarla, pero no sé dónde la tienen, ni dónde encontrar a Ode. Ese malnacido... Se va a arrepentir de lo que ha hecho.

—¿Por qué me lo cuentas?

Edan me miró fijamente unos instantes. Después se encogió de hombros, como si no tuviese demasiado clara la respuesta a esa pregunta.

—Pensé que a lo mejor podrías ayudarnos a localizarlos. Una idea estúpida... No nos ayudarías aunque pudieras.

—Eso no es cierto. Quiero ayudar a Moira. Le rogué a Ode que la liberase, o que al menos la tratase bien, y le hablé de sus problemas de salud.

—Qué generoso por tu parte. Lástima que olvidaras mencionármelo.

—Es mi gente, Edan. Además, ¿qué podía hacer? Ni siquiera estaba segura de que fuese verdad, creí que estaba tirándose un farol.

—Ode no es de esa clase. Maldita sea, Kira, ¿por qué no me lo dijiste? Si me lo hubieras dicho, llevaríamos al menos tres días de ventaja.

Me sentí horriblemente culpable en ese momento. Edan tenía razón: debería haber antepuesto la vida de Moira a todo lo demás. Pero estaba confusa, después de todo lo que había pasado aquella noche. Y además, me cuesta ver a Ode como el general astuto y despiadado en el que parece haberse convertido.

Intenté pensar con rapidez, ofrecerle a Edan alguna idea, alguna salida.

Y de repente se me ocurrió.

—Edan... Está intentando chantajearte, pero podemos darle la vuelta a eso —dije, yendo hacia él—. Yo puedo hacerlo. Para la estrategia de Ode, es muy importante que yo continúe liberando las aguas de las fuentes sagradas. Le escribiré una carta, diciéndole que los rituales no se reanudarán hasta que liberen a Moira.

Edan se detuvo a sopesar mi propuesta.

—Sí —murmuró, pensativo—. Sí, podría funcionar. ¿De verdad harías eso por nosotros, Kira?

—¡Por supuesto! Escribiré la carta ahora mismo, si quieres.

—El mensajero de Cyril aún no se ha marchado. Podemos enviársela, con el encargo de hacérsela llegar a los secuestradores. Al parecer, han elegido una torre en ruinas a las afueras de Asura para los intercambios de mensajes. ¿Crees que hará caso?

Asentí, cada vez más segura de mí misma.

—Ode me necesita. No se arriesgará a poner en peligro mi labor con las fuentes. Me hará caso, estoy convencida.

Edan esbozó un intento de sonrisa. Era la primera vez desde su combate con Ode que le veía sonreír.

—De acuerdo. Escribe esa carta... Esto va a salir bien, ¿verdad?

Le aseguré que sí, y recé interiormente para que así fuera.

* * *

El mensajero con mi carta para Ode partió en dirección a Asura hace dos días. Desde entonces, los acontecimientos se han precipitado.

Edan decidió alargar las etapas de viaje para llegar a la fortaleza de Hebe al menos tres jornadas antes de lo previsto. Esa misma noche nos levantamos antes del amanecer, y cabalgamos sin apenas descanso hasta el crepúsculo. Nos detuvimos cuando la luna ya estaba alta en el cielo.

A la mañana siguiente se repitió la historia. Pero la jornada se nos complicó por culpa de la herida de Edan. La agotadora cabalgada de la víspera la había abierto de nuevo, y durante toda la mañana estuvo perdiendo sangre, aunque no se lo dijo a nadie. Cuando sus hombres se percataron, tenía mucha fiebre... y ni siquiera podía ya sostenerse encima del caballo.

Tuvimos que hacer un alto en una aldea e instalar a Edan en la casa del campesino más rico de la comarca. Cuando intenté quedarme a cuidarlo, vi que la esposa del campesino, una mujer morena, regordeta y de cara agradable, se acercaba a uno de los caballeros del Desierto para susurrarle algo.

El hombre vino hacia mí con expresión acobardada.

—Dice que ella y sus hijas le atenderán, y que no tiene sitio para vos.

Supuse, por la mirada asustada de la mujer, que había otro motivo para que me echara de su casa. Me temía... Una de sus hijas pequeñas, al pasar por mi lado, susurró: «Bruja».

Regresé al prado donde los hombres de Edan estaban montando las tiendas, ya que no sabía adónde ir. La mía se encontraba aún en el suelo, esperando a que alguien tensase los cables que debían sostener la carpa.

Miré a mi alrededor buscando a Dunia, pero no estaba por ninguna parte. La que sí estaba, en cambio, era Elia. Se había sentado sobre una manta de lana gris a una prudente distancia del campamento, para que nadie la molestara. Sin embargo, cuando sus ojos se encontraron con los míos, se levantó y vino a mi encuentro.

—Pensé que os quedaríais en el pueblo, cuidando del príncipe —dijo, sonriendo con timidez.

Me ruboricé. No imaginaba que Elia estuviese al tanto de mis sentimientos hacia Edan. ¿Cómo lo había adivinado?

Entonces recordé su don. Claro, lo había «sentido». Hacía ya bastante tiempo que no la entrenaba, y apenas la veía un instante al levantarme por las mañanas y otro a la hora de la cena, pero, por lo visto, a ella le había bastado para captar los vaivenes de mi estado de ánimo y la relación de esos cambios de humor con Edan.

A pesar de ello, no estaba dispuesta a revelarle nada.

—Edan tiene gente suficiente que lo cuide —contesté—. No me necesita, así que decidí regresar al campamento.

Elia asintió distraída.

—Los campesinos dicen que han visto guerreros por el camino de las rocas. Dicen que están a punto de llegar. ¿Vos habéis oído algo?

—¿Guerreros? Yo no he oído nada. ¿Estás segura de que lo has entendido bien?

En lugar de contestarme, Elia señaló hacia el círculo de tiendas con expresión de triunfo.

—Parece que sí. Mirad a ese jinete. No es de los nuestros.

—Será un mensajero. ¡Quizá traiga noticias de la princesa! Voy a preguntárselo.

—¡Esperad! Alteza...

Sin hacer caso a Elia, eché a correr sobre la hierba. Si aquel hombre había venido expresamente a nuestro encuentro, sería porque estaba buscándonos. Sin duda, traía un mensaje para Edan... Probablemente un mensaje relacionado con la suerte de Moira.

El recién llegado estaba hablando con uno de los escuderos de Edan, pero al oír pasos detrás de él se volvió rápidamente.

Me detuve en seco, petrificada...

No era un mensajero, sino el rey Kadar.

CAPÍTULO 21

—Kira, cuánto tiempo... Ven aquí, ¿no vas a abrazar a tu prometido?

El asombro me había dejado paralizada, y me costó trabajo reaccionar.

—Yo... Qué sorpresa, no te esperábamos.

—Apuesto a que no. ¿Cómo te encuentras, querida? Te veo un poco pálida, y más delgada... ¿Demasiadas preocupaciones?

Su tono burlón me hizo salir de mi estupor. ¿Por qué me hablaba de esa forma?

—Son días difíciles para todos —contesté en tono sereno—. ¿No te parece?

Su rostro se ensombreció, pero mantuvo la sonrisa. Una sonrisa helada, rígida..., que no transmitía la menor cordialidad.

—Lo son, desde luego. Aunque para unos más que para otros. Para Moira están siendo muy duros, por ejemplo.

Debió de notar mi alarma, porque su sonrisa finalmente se borró.

—Lo sabías —murmuró, en un tono casi amenazador—. Ni siquiera eres capaz de fingir.

—¿Por qué iba a fingir? Un mensajero trajo la noticia de su secuestro. Es normal que me enterara.

Kadar arqueó las cejas.

—¿El mensaje llegó a tu nombre? Me sorprende.

Enrojecí a mi pesar.

—No..., no llegó a mi nombre.

—Ya. Por lo que me han dicho, fue mi hermano quien lo recibió. Por lo visto, no juzgó necesario avisarme.

—Kadar, si pudiésemos hablar a solas un momento...

El rey miró a su alrededor y se dio cuenta de que, en efecto, estábamos llamando demasiado la atención. Los hombres de Edan permanecían a una prudente distancia, pero era evidente que estaban pendientes de nuestra conversación.

—De acuerdo, vayamos a tu tienda. Es esa, según me han indicado. Están terminando de montarla.

Me tomó de la mano y prácticamente me arrastró hacia la amplia carpa de lona púrpura. Dentro, Dunia y Elia habían comenzado a deshacer el equipaje.

—¡Fuera de aquí! —bramó Kadar sin mirarlas.

Las muchachas dejaron todo lo que estaban haciendo y se apresuraron a salir. Pero, antes, Elia me lanzó una rápida mirada al pasar por mi lado.

De pronto, al quedarme a solas con el rey, sentí miedo. Estaba loco de ira, se leía en sus ojos. Quizá por lo de Moira... ¿Me culpaba a mí de lo sucedido?

—Siéntate —me ordenó, señalando la cama recién hecha—. Necesito que me escuches con atención.

Obedecí en silencio. Apenas me atrevía a levantar los ojos hacia él.

—Sé todo lo que ha pasado —comenzó, acercándose a mí y mirándome desde arriba—. Ese idiota de Cyril informó a

Edan sobre Moira antes que a mí. Así me agradece el nombramiento... El muy estúpido se arrepintió a tiempo y envió palomas mensajeras con la noticia hace algunos días. Me contó lo que había pasado.

—Todo lo que ha hecho Edan es intentar encontrar la forma de liberar a Moira cueste lo que cueste. Tenemos un plan. Y estoy segura de que funcionará.

Me alzó la barbilla obligándome a levantar la cara hacia él.

—¿«Tenéis» un plan? ¿Tú y mi hermano? ¿Desde cuándo formáis un equipo?

Me habría gustado evitar su mirada, pero no podía.

—Yo... le vi tan preocupado que le ofrecí mi ayuda —balbuceé.

Me soltó bruscamente.

—Ya. Creí que mis órdenes eran lo suficientemente claras. Él y tú no debíais estar juntos en ningún momento.

—Pero... eso es imposible en un viaje como este. Y absurdo.

—¿Tú crees? —Kadar arqueó las cejas—. Sí, por supuesto. Los peligros de la ruta... Son el motivo principal de su presencia aquí, ¿verdad?

—Tú mismo decidiste que viniera —repliqué con un hilo de voz.

—Así es. Le creía más sensato —el rey apretó el puño derecho sobre el pomo de su espada hasta que sus nudillos se pusieron blancos—. Y a ti también... No importa; ahora sé que no puedo fiarme de ninguno de los dos.

—¿Por qué hablas así? Estás siendo completamente injusto con Edan —dije sin poder contenerme—. Pudo rebelarse contra ti en la fortaleza de Akheilos. Los hombres le aclamaban, lo querían a él en el trono. A él, no a ti. Si hubiera aprovechado la ocasión... Pero no lo hizo.

Me di cuenta de que mis palabras le afectaban más de lo que quería mostrar.

—Suena como si lo lamentaras —observó en voz baja.

Sabía que era una locura desafiarle, pero estaba demasiado enfadada para pensar en el peligro.

—A veces lo lamento, sí. Ha demostrado ser mejor hombre que tú.

—O sea, que lo reconoces.

Le miré sin comprender.

—¿Que reconozca qué?

Kadar volvió a desplegar una sonrisa fría, amenazante.

—No intentes negarlo. Le vieron salir de tu tienda en mitad de la noche. Por eso estoy aquí... Aún me quedan súbditos fieles en este reino.

Sentí que se me congelaba la sangre en las venas.

—No..., Kadar, no... ¿Qué te han hecho creer? Son todo mentiras.

Se me acercó y me agarró por los hombros; me agarró con tanta fuerza que se me escapó un gemido de dolor.

—¿No es cierto, Kira? ¿No es cierto que estuvo en tu tienda largo rato, mientras todo el mundo dormía?

—No todo el mundo dormía. Fue una noche difícil, sufrimos un ataque. Los hombres montaron patrullas de vigilancia...

—O sea, que lo admites.

Intenté borrar el rubor de mis mejillas. Como si eso pudiese controlarse a voluntad.

—Kadar, no es lo que tú crees. Edan estaba herido. Le habían atacado, ¿eso no te lo han contado tus informantes?

—No. Me han contado que vieron salir precipitadamente de tu tienda a un caballero del Desierto en mitad de la noche. Llevaba puesta la capucha de la capa y no le vieron el rostro, pero te conozco, Kira, y sé que a nadie más le habrías permitido esa visita. Además, sé lo que hay entre vosotros, lo que él siente por ti, y lo que tú... Quizá fue una tontería planear este viaje, poneros a prueba de esta manera... De todas formas, ya no tiene remedio. Vamos, reconócelo, Kira; sé que era él.

Noté un peso de piedra en la boca del estómago al comprender lo que había pasado. Alguien había visto salir de mi tienda a Ode disfrazado de caballero del Desierto... y le había tomado por Edan.

—¿Quién te lo ha dicho? —murmuré—. Me gustaría saberlo.

—Ha sido esa muchacha, Elia, ya que tanto te interesa. Pregúntaselo, ella misma te lo confirmará.

—Elia —repetí en voz baja—. Debí darme cuenta... Siempre tengo la sensación de que me está observando. Pero... ¿cómo ha podido hacerme esto? ¡Le salvé la vida!

—No. Yo le salvé la vida —afirmó Kadar con un brillo maligno en los ojos—. Y a cambio le pedí que te vigilara, y que me informase si algo ocurría entre tú y mi hermano.

—¿Siempre tienes que hacer así las cosas? ¿Qué esperas conseguir exactamente?

Me pareció captar un instante de indecisión en su rostro.

—Lo que he conseguido —murmuró—. La verdad.

—No. Nunca sabrás cuál es la verdad —le reproché, furiosa—. ¿Y sabes por qué? Porque eres incapaz de ganarte la confianza de ningún ser humano. Hay cosas que no se pueden conseguir por la fuerza, Kadar, ¿cuándo vas a darte cuenta de eso? La verdad, la lealtad...

—El amor...

Nos estudiamos mutuamente durante unos instantes.

—El amor, sí. No puedes obligar a nadie a que te ame.

—Tal vez. Pero sí puedo obligarte a ser fiel.

No traté de ocultar el desprecio que me producían sus palabras.

—Es una pena. Podrías ser un hombre muy distinto, si

quisieras. Sin embargo, te empeñas en reinar allí donde no se puede.

—Se puede reinar en todas partes. En todas.

La sonrisa burlona había desaparecido. Ahora me miraba con ojos pensativos, casi tristes.

—Muy bien —acepté, sentándome sobre el baúl de madera que contenía mi ropa—. ¿Qué tienes pensado exactamente?

Kadar se dejó caer sobre la cama, apoyó los codos en las rodillas y enterró el rostro entre sus manos. Parecía exhausto.

—Mañana partiremos hacia la isla de Orestia. Tú y yo. Allí tengo uno de mis palacios de recreo favoritos, a la orilla del mar. Te gustará. La boda se celebrará en cuanto lleguemos. Ya la hemos retrasado demasiado tiempo, y está claro que no ha servido para nada. Al contrario... Así que se acabaron las contemplaciones: nos casaremos de inmediato. Después, tal vez yo tenga que partir, pero tú no abandonarás la isla hasta que termine la guerra.

Me eché a temblar de pies a cabeza.

—No es lo que me prometiste —murmuré—. Me dijiste que me darías tiempo.

—¿Tiempo para que me traiciones? No, esa no era la idea. La espera se acabó, Kira. Y no pongas esa cara, no será tan malo como crees. Te acostumbrarás. Incluso te llegará a gustar, lo sé. Has nacido para ser reina.

—No. No quiero ser tu reina.

Él meneó la cabeza lentamente. Luego, alzó los ojos y me miró.

—Cambiarás de opinión. Confía en mí.

—Tendrás que llevarme a la fuerza. No pienso cooperar —le amenacé.

Kadar se encogió de hombros.

—Como quieras. Mañana partiremos al amanecer, con o si tu cooperación. Y ahora, si me disculpas...

No podía creer que fuera a dejarme así, sin darme más explicaciones. Cuando vi que se disponía a salir de la tienda, me interpuse en su camino.

—Espera: ¿qué va a pasar con las fuentes? Tengo que terminar mi labor, es importante para todos.

—Sí: otra de las brillantes ideas de mi hermano. No debí hacerle caso... Por tu culpa, ahora tenemos a cientos de malditos enloquecidos asaltando a los viajeros por los caminos mientras traman su venganza.

—Pero de las fuentes depende la prosperidad de Decia. Tú mismo lo dijiste.

—Y lo sigo creyendo. El problema es que hemos actuado demasiado deprisa, sin tener en cuenta las consecuencias. No te preocupes por las fuentes, Kira. Cuando la guerra termine, tendrás todo el tiempo del mundo para devolverles la salud a sus aguas.

—Pero no lo entiendes. Hay que continuar con lo de las fuentes, lo hemos prometido.

—¿Lo habéis prometido? —Kadar me miró asombrado—. ¿Quiénes?

—Edan y yo. A cambio de la libertad de Moira.

Kadar emitió una carcajada incrédula.

—¿Les habéis prometido a nuestros enemigos seguir alimentando su fuerza con el agua de las fuentes a cambio de la libertad de mi hermana? No puedo creerlo. Edan se va a arrepentir de esto. Como si él pudiera prometerle nada al enemigo. Aquí soy yo quien da las órdenes.

—No culpes a Edan. La idea fue mía.

—Entiendo —Kadar me miró como si hubiese algo contaminado y peligroso en mí—. En fin, ya tendrás tiempo de contarme los detalles durante el viaje. Y ahora, querida mía, descansa. Mañana nos espera un día muy largo.

—Un momento. ¿Qué vas a hacer con Edan?

Kadar estaba ya levantando la cortina de la entrada, pero al oír mi pregunta la dejó caer de nuevo. Se quedó inmóvil, dándome la espalda.

—Ojalá no te importara tanto, Kira —dijo, con una amargura que me sorprendió—. No se lo merece... Si yo fuera él, habría sabido estar a la altura de tus esperanzas. Lástima.

—No me has contestado —dije, acercándome a él—. Kadar...

—Edan será conducido mañana a la fortaleza de Hebe, donde permanecerá confinado y sin contacto de ninguna clase con el mundo exterior. Me ha desafiado de todas las maneras posibles. Y ha intentado ocultarme lo de Moira... Eso jamás se lo perdonaré.

CAPÍTULO 22

Kadar ha cumplido sus amenazas.

La noche de su llegada, cuatro de sus hombres se encargaron de custodiar mi tienda. Elia, además, recibió la orden de instalarse dentro... Kadar no quería que me perdiese de vista.

Yo estaba furiosa con ella por su traición. No podía creer que durante todo aquel tiempo hubiese estado espiándome. Ella era la que había escrito a Kadar informándole de la visita nocturna de Edan a mi tienda. Por suerte, no vio a Ode..., aunque quizá habría sido mejor que lo viera, para que el rey no se hiciese una falsa idea de la situación.

Elia se dio cuenta enseguida de que conocía la existencia de la carta que había dirigido al rey, y de que esa era la causa de que Kadar se hubiese presentado sin previo aviso en el campamento. Estaba acobardada, y muy inquieta. Respiraba agitadamente, iba y venía sin motivo. Tan pronto cambiaba un candelabro de sitio, como desdoblaba una prenda para volver a doblarla a continuación y dejarla en el mismo lugar, o se acercaba a la puerta de la tienda y miraba hacia fuera, jugueteando con los cordones de las cortinas.

Al principio no se atrevía a acercarse a mí. Mientras fingía estar ocupada con algo, me miraba de reojo de vez en cuando. Yo no le quitaba la vista de encima. Desde la cama, la observaba casi sin pestañear, poniéndola cada vez más nerviosa. Quería que notase mi enfado, mi rabia.

Después de un rato se atrevió a hablarme.

—Sé que estáis enfadada, pero todo lo que he hecho ha sido por vos. El rey me dijo que debía protegeros, que su hermano intentaría engañaros y que podía poneros en peligro. Por eso le escribí.

Me detuve a mirarla, asombrada.

—Es imposible que seas tan ingenua. ¿De verdad crees que Edan es un peligro para mí?

Elia bajó los ojos.

—Él os quiere, se le nota a la legua. Y es normal que el rey se preocupe. Su hermano es un caballero de la orden del Desierto, no puede casarse ni formar una familia. ¿Qué futuro os esperaría a su lado?

—¿Y qué futuro me espera con Kadar? Ya has visto lo que ha hecho: encerrarme aquí, encargar a sus perros de presa que me vigilen y no me dejen escapar. ¿Eso es un futuro?

Los ojos de Elia se llenaron de lágrimas.

—Perdonadme —murmuró—. Yo solo quería hacer lo correcto. Y él es el rey. Me salvó.

—Te salvó porque yo se lo rogué. ¿Crees que le importa algo tu destino? Si yo se lo pidiera, ahora mismo te mataría.

Elia me miró asustada.

—¿Vais a pedírselo?

Me eché a reír. Todo aquello era grotesco.

—No, no voy a pedírselo —la tranquilicé—. Pero hazme un favor, Elia: no vuelvas a hablarme mientras estemos juntas. No somos amigas: no confío en ti. Así que limítate a cumplir las funciones que te ha encomendado el rey y no trates de ser amable, ¿de acuerdo? No necesito tu amabilidad para nada.

Elia asintió con la cabeza, sin atreverse siquiera a contestarme con palabras.

No tardé en comprobar que se tomaba mi advertencia muy en serio: a partir de aquella noche no ha vuelto a pronunciar en mi presencia ni un monosílabo. Aunque quizá no sea por lo que le dije, sino porque el rey le ha prohibido que me hable.

A Dunia ni siquiera me permitieron verla antes de nuestra partida. Por lo visto, Kadar no la quiere a mi lado. Ni tampoco a ninguno de los guerreros de Edan... Todos fueron obligados a acompañarle a Hebe.

Nadie me ha contado lo que pasó en la vieja fortaleza. Supongo que al comandante de la plaza no le haría ninguna gracia tener que encarcelar al más popular de los caballeros de su orden, pero no podía desobedecer al rey. Si hubo o no discusiones o intentos de rebelión, yo no llegué a enterarme. Permanecía encerrada día y noche en mi tienda, custodiada siempre por los hombres de Kadar, que montaban guardia en la puerta. Cuando les pedía algo me lo traían, pero si les hacía una pregunta jamás me contestaban. Tenían órdenes de no dirigirme la palabra.

En medio de aquel silencio, me sentía como un animal acorralado. La soledad y la incertidumbre me estaban volviendo loca.

Kadar regresó a los tres días al campamento, tomado ahora por soldados de su confianza. Tan solo entró en mi tienda un segundo para informarme de que partiríamos por la mañana.

Las siguientes jornadas resultaron odiosas.

Era como si los elementos se hubieran vuelto contra nosotros... o, mejor dicho, contra los planes de Kadar. Un viento glacial azotaba la estepa, estorbando el avance de los animales y enfermando a los hombres. Durante horas, el único sonido que acompañaba al de los cascos de los caballos eran las toses roncas de los enfermos.

Elia también se encontraba entre los afectados... Sus mejillas ardían de fiebre, y de vez en cuando la veía escupir con disimulo en su pañuelo unas gotas de sangre.

Con el pretexto de la epidemia que se extendía entre los miembros de nuestro pequeño grupo, Kadar me mantenía aislada. Durante el día cabalgaba a su lado, y de noche se me obligaba a cenar en mi tienda. El rey en persona me traía las provisiones en una bandeja, pero no se quedaba a compartirlas. Quizá temía contagiarme, porque él también parecía enfermo, aunque nunca le oí toser.

Las cosas mejoraron algo cuando llegamos a la costa. Kadar tenía tres barcos esperándolo en la aldea pesquera de Ridga. Nos instalamos en la única posada de la aldea mientras aguardábamos a que el tiempo mejorase para zarpar.

La posadera era una mujer gruesa y picada de viruelas que en poco tiempo consiguió ganarse a todo el mundo con su buen humor y su asombrosa energía. Ayudada únicamente por un par de criados, no sé cómo se las arreglaba para mantener el establecimiento limpio, los fuegos siempre encendidos y la cocina llena de calderas de cobre hirvientes, los hornos repletos de bollos y dulces y una buena pieza de carne rezumando grasa en la parrilla.

La abundante comida y el ambiente confortable hicieron que la mayoría de los hombres empezase a restablecerse. Elia, sin embargo, no mejoraba. Yo comenzaba a arrepentirme de la dureza con que la había tratado. Quizá el disgusto y la sensación de culpa habían debilitado sus defensas y por eso empeoraba día a día, en lugar de recuperarse. Ya no podía levantarse de su cama, instalada en la buhardilla. Por suerte, la posadera le tomó mucho cariño, y siempre reservaba algún dulce especial o una tajada de la carne más tierna para subírsela.

—Esa pobre chica no hace más que preguntarme por vos —me dijo una tarde cuando regresaba de atender a la enferma—. Deberíais visitarla. Necesita animarse... y estoy segura de que le daríais una gran alegría.

Seguí su consejo, y una hora más tarde me encontraba sentada en el catre inmaculadamente limpio de Elia, con sus manos entre las mías.

—Siento no haber venido antes —le confesé, avergonzada—. No debí enfadarme tanto contigo. Al fin y al cabo, no hiciste más que cumplir las órdenes del rey, igual que todos.

Elia levantó la cabeza de la almohada. Estaba muy pálida, y en sus ojos había un brillo febril.

—No, soy yo la que debo pediros perdón —me aseguró—. Nunca imaginé que el rey fuera a trataros como una prisionera. Ni siquiera se me ocurrió.

—Soy una extranjera en este país, Elia. Y soy poderosa. El rey quiere controlarme porque teme que use mi poder contra él.

—Pero es que él me habló de su amor por vos, y de que necesitabais protección. Y yo sentí que era franco. Me dio a entender que vos deseabais tanto esa boda como él, y que su hermano tenía razones egoístas para impedirla.

—Te utilizó, Elia. Te usó contra mí.

Elia me miró pensativa, dudando de sí misma, hasta que de repente algo cruzó su mente.

—Si sois tan poderosa, ¿por qué no os rebeláis? —dijo—. ¿No podéis obligarle a que os trate de otra manera?

Su pregunta me hizo reflexionar. Desde que Edan me trajo a Decia, mis poderes no han hecho más que crecer. Las aguas sagradas de las tres fuentes que he despertado han alimentado mi magia. Hasta ahora no había pensado en utilizarla contra el rey, pero tal vez haya llegado el momento de que empiece a planteármelo. Si Kadar insiste en imponerme esa boda, si rompe todas sus promesas...

Me di cuenta de que Elia tenía razón. Debía trazarme un plan y tenerlo todo preparado, por si acaso las cosas llegaban a un punto en el que la magia fuese mi única salida. Le di las gracias por sus palabras, y ella me sonrió débilmente.

Desde entonces no la he vuelto a ver, pero la posadera me asegura que está mejorando muy deprisa.

El motivo de que no la haya vuelto a visitar ha sido una nueva prohibición de Kadar. Es curioso: desde que emprendimos este viaje, no se dirige a mí más que para amenazarme o para darme órdenes.

Llevaba días sin hablarme, pero la misma noche en que fui a ver a Elia irrumpió en mi habitación sin llamar.

—¿Quién te ha dado permiso para visitar a la «maldita»? —fue todo lo que me dijo a modo de saludo—. Tiene una enfermedad de las vías respiratorias, una enfermedad que podría ser contagiosa. ¿Te parece que me puedo permitir tener a una reina enferma?

—No me importa enfermar —le contesté, desafiante—. Ojalá ocurriera. Cualquier cosa sería mejor que casarme contra mi voluntad.

—¿Crees que eso evitaría la boda?

Sus ojos, habitualmente tan claros, semejaban dos brasas negras y ardientes.

—Nadie ni nada la va a impedir, Kira. Más vale que vayas haciéndote a la idea.

La violencia de su tono me sorprendió.

—Si quieres que esto funcione bien, este no es el mejor camino —dije, atreviéndome a ir hacia él—. Así nunca...

—¡Basta, Kira! Ya he probado otras vías contigo y no han funcionado. El problema es que el tiempo se agota... No puedo seguir haciendo experimentos. Esto se tiene que convertir en un matrimonio real cuanto antes.

—Cuando dices real...

—No es un juego de palabras, y no estoy de humor para chistes. Cuando digo real, quiero decir un matrimonio auténtico. No voy a atosigarte estos días que nos quedan de viaje, porque quiero darte la oportunidad de que cambies de actitud por tu propia voluntad. Ahora bien, cuando lleguemos a Orestia, todo será muy rápido, y será real, hasta las últimas consecuencias.

—Pero tú me dijiste... Estoy dispuesta a colaborar, incluso a celebrar la boda si crees que es bueno para Decia, pero no puedes obligarme a..., a...

—¿A qué? ¿A compartir mi cama? Claro que puedo obligarte, Kira. Puedo y lo haré.

Su determinación me hizo estremecerme de pies a cabeza.

—No puedes —acerté a murmurar—. Tú no quieres eso.

Se encogió de hombros.

—Habría preferido que fuese de otra manera, pero debo aceptar la realidad.

—Tendrás que matarme para...

—No hará falta. Te lo garantizo. A quien sí puedo matar es a Edan. En la fortaleza de Akheilos he dejado un sobre cerrado y lacrado con mi sello. El comandante tiene la orden de abrirlo en la noche de la tercera luna llena, contando desde mi visita a la fortaleza, siempre y cuando no reciba antes otro sobre con el mismo sello. Exactamente quedan ahora..., déjame calcular..., setenta y cuatro días. ¿Sabes lo que hay dentro de ese sobre, Kira?

—No. No quiero saberlo...

—La orden de ejecución de mi hermano.

Clavé mis pupilas en él durante unos instantes, durante los cuales él ni siquiera pestañeó.

—No te creo —dije—. No puedes haber llegado tan lejos. Eso significaría que te has convertido en un monstruo.

—Piensa lo que quieras. Que la contraorden llegue a tiempo o no de evitar su muerte depende de ti.

—Y así esperas ganarte mi amor...

—Por el momento no aspiro a tu amor, querida; me conformo con tu obediencia. El amor vendrá después, si es que tiene que venir. Y si no...

—Estás loco.

Él sonrió con frialdad.

—No. Simplemente sé lo que quiero, y estoy dispuesto a todo para conseguirlo. Piensa en lo que te he dicho. Te dejo a solas... Ah, y una última advertencia, Kira. No vuelvas a visitar a la maldita. Si desobedeces, ella morirá.

CAPÍTULO 23

De nuevo en un barco. Y de nuevo cruzando el mar como una prisionera. Sin embargo, esta vez todo va a ser distinto.

He cambiado. Los últimos meses han sido muy duros, pero si para algo me han servido, ha sido para aprender de mis errores. Con Edan cometí muchos. Me pasé toda la travesía desde Hydra a Decia confiando en que podía convencerle para que viese las cosas como yo. Le supliqué de todas las maneras posibles, intenté razonar con él. Sin éxito... Y en las dos ocasiones en que intenté rebelarme lo hice sin un plan, dejándome llevar por el impulso del momento. No es de extrañar que mis dos intentos resultasen un fracaso.

Ahora no se trata de Edan, sino de Kadar. Los dos hermanos son muy diferentes, pero tienen dos cosas en común: su terquedad y su incapacidad para ponerse en el lugar de otra persona, para entender su punto de vista.

Los dos aseguran que me aman, pero están empeñados en convertirme en lo que ellos creen que debo ser. Ni siquiera parecen interesados en descubrir quién soy realmente. Es como si en lugar de estar enamorados de mí, lo estuviesen de mi reflejo.

Dicen que la gente cambia, que aprende con el tiempo. Mas para eso deben verse obligados a aprender. El problema es que, cuando eres poderoso, nadie se atreve a darte lecciones. Por eso Kadar, a pesar de su inteligencia, comete tantas equivocaciones. Se cree en posesión de la verdad. Se cree invulnerable... Por ahora.

Kadar ha olvidado de que yo también soy poderosa. Mucho más poderosa que él, en realidad. Hasta yo lo había olvidado. Pero su manera de tratarme en los últimos días me ha hecho recordar las palabras de Elia.

Mi don sigue ahí, dentro de mí, latente. Tengo que encontrar la manera de utilizarlo contra el rey... si me obliga a hacerlo.

De momento no está siendo fácil. El barco es un gran velero de cinco palos, con una tripulación de más de cien hombres, todos ellos fieles a Kadar. Las condiciones en las que viajo son un poco mejores que las de la travesía con Edan. Aun así, sigo siendo igualmente una cautiva. Permanezco encerrada en el camarote todo el día, y solo se me permite salir a cubierta un rato cada tarde, acompañada del rey. Mi nueva doncella, una mujer de mediana edad que responde al nombre de Roda, apenas cruza palabra conmigo. Elia la ayuda, pero nunca la veo a solas. La pobre se ha recuperado por completo de su enfermedad, pero se nota que está asustada y que teme por su vida.

No obstante, creo que he encontrado la manera de entrenarme. Es cierto que no puedo entrar en contacto con el mar, pero sus aguas nos rodean por todas partes. Y he descubierto que hay otras formas de comunicarse con ellas, de dialogar con la magia que duerme en su interior. Fue la otra noche, cuando estaba con Kadar en la cubierta, escuchando la historia de la isla de Orestia y de cómo sus antepasados la conquistaron, arrebatándosela a un pueblo de navegantes y gentes del océano. Un pueblo relacionado seguramente con el mío.

Estaba oyendo sus explicaciones sobre aquellos primitivos

habitantes de la isla cuando de repente me asaltó la sensación de que no era yo la única que escuchaba. Algo en las profundidades del mar estaba atento a las palabras del rey. Algo poderoso e inhumano, que jamás antes había sentido con tanta fuerza: la conciencia del mar.

Sin apartar la mirada de las tablas del suelo, lancé hacia aquella presencia una hebra invisible de mi voluntad. En mi imaginación la veía igual que un hilo de plata, muy fino pero extraordinariamente resistente.

Aquella hebra de pensamiento flotó unos instantes en la superficie del mar, y luego empezó a hundirse. Cuanto mayor era la profundidad, más intensa se volvía mi conexión con la conciencia mágica del agua. Al mismo tiempo, mi propia mente se dividió en dos mitades: una humana, que permanecía atenta a las palabras del rey y contestaba cuando me interpelaba con una pregunta, y otra acuática, que seguía descendiendo hacia el fondo marino en busca de su voz dormida.

De pronto sentí que la mitad mágica de mi ser se transformaba. Solo que esta vez no era una transformación material, sino espiritual. Mis brazos y mis piernas continuaban ahí, mi piel no había cambiado, pero yo podía sentir el crecimiento de brillantes escamas dentro de ella, escamas que no formaban parte de mi cuerpo, sino de mi mente. Sin embargo, no por eso eran menos reales. Me revestían como una armadura, y supe instantáneamente que podían protegerme mejor que cualquier armadura de acero de alguien como Kadar. Mientras mi conexión de plata con la conciencia del mar se mantuviese intacta, las escamas seguirían ahí. Estaban hechas de una mezcla de deseos y miedos, de pensamientos y recuerdos. Y el conjunto formaba una aleación extraña, que ningún arma humana sería capaz de atravesar.

Nunca antes me había sentido así en tierra: tan unida al poder del mar, tan invulnerable. Por desgracia, la conexión con las aguas duró solo un rato, y cuando se rompió, aquella armadura invisible que me protegía se disolvió en cuestión de segundos.

Pero ahora sé cuál es el camino. Tengo que alargar esa conexión, tengo que conseguir que la hebra de plata entre mi voluntad y el poder del mar no se rompa tan pronto. No sé cómo hacerlo aún, pero estoy dispuesta a intentarlo una y otra vez hasta notar alguna mejora.

Se trata, creo, de fortalecer la concentración. Si logro mantener mi atención fija en el hilo que me une a las aguas, independientemente de lo que esté diciendo o haciendo mi parte humana, el hilo no se romperá, y la armadura inmaterial que el hilo crea permanecerá en su sitio. Es el primer paso para llegar a dominar esta dimensión de mi poder que hasta ahora ni siquiera sabía que existía.

El problema es que desde mi camarote no puedo practicar. Al menos, no todavía... Las paredes de madera me aíslan del mar, volviendo la conexión demasiado débil. Necesito estar en la cubierta para que el hilo de plata se manifieste. Y eso solo puedo lograrlo de una manera: pasando más tiempo con Kadar.

Por eso, esta tarde me he atrevido a pedirle que nos viésemos más. Mi turbación era tan evidente que, por supuesto, él la notó..., si bien la interpretó de forma equivocada.

—¿Qué te pasa, Kira? —me preguntó, con una sonrisa de triunfo que ni siquiera se esforzó en reprimir—. ¿Por fin estás entrando en razón? No necesitas avergonzarte, no es ninguna derrota. Sabía que cuando empezaras a conocerme mejor, reaccionarías.

—Siento que todo está sucediendo demasiado deprisa —acerté a murmurar—. Pronto llegaremos a la isla, y yo necesito..., necesito familiarizarme un poco más con la situación antes de enfrentarme a lo que... vaya a pasar.

—Lo dices como si fuese una catástrofe natural o algo así —replicó Kadar sofocando una risotada—. Lo que va a pasar es bueno, Kira. También para ti. Siento mucho haber tenido que mostrarte mi lado más inflexible y desagradable al comienzo de nuestra relación, pero has de admitir que no me lo has puesto fácil.

—Lo sé. Pero tienes que entenderme. Llegué a Decia como prisionera, es natural que sintiese desconfianza... y miedo.

—Las guerras siempre generan miedo, y tú llegaste a Decia como botín de guerra. Lo acepto. Es normal que estuvieses asustada.

—Tú querías matarme...

El rostro de Kadar se ensombreció.

—Sí. Debo estarle agradecido a Edan por haberme abierto los ojos. A pesar de que luego...

—Kadar, no debes pensar mal de él. No sé lo que Elia cree que vio, pero se equivocó al interpretarlo. Edan solo se acercaba a mí cuando creía que estaba en peligro mi seguridad.

—Todavía lo defiendes —observó el rey con el ceño fruncido—. Deberías saber que eso no te beneficia, Kira... Ni tampoco le beneficia a él.

—Lo defiendo porque creo que estoy demostrando con mi conducta lo erróneas que son tus suposiciones. Si vamos a ser marido y mujer, ha llegado la hora de que confíes un poco más en mí. Te estoy demostrando mi buena voluntad. Si te digo que entre Edan y yo no ocurrió nada, debes creerme.

—¿No pasó nada? ¿Nunca?

Juzgué que negarlo todo sonaría demasiado inverosímil, así que decidí confesar a medias la verdad.

—En Hydra sí ocurrió algo. Edan fue muy hábil, me hizo creer que estaba enamorado de mí. Y yo, como una tonta... Pero eso terminó cuando me trajo a Decia como cautiva. ¿Crees que podría seguir enamorada de él, después de lo que me hizo?

Kadar me miró dubitativo.

—Puede que al principio fingiera, pero al final se enamoró de ti de verdad. Supongo que lo sabes.

—Sí. Él mismo me lo dijo —admití—.Y también me dijo que nunca podría haber nada entre nosotros, por su condición de caballero del Desierto. Como si yo necesitase sus justificaciones. Como si me importasen.

—¿No es así? ¿No te importan?

Comprendí que Kadar necesitaba convencerse a sí mismo de que le estaba diciendo la verdad. Eso haría que engañarle resultase más fácil... Casi sentí remordimientos al contestarle. Tuve que recordarme a mí misma lo que me estaba haciendo, y hasta dónde se había mostrado dispuesto a llegar, para seguir adelante con mis medias verdades.

—Ningún amor podría sobrevivir a una traición como la de Edan —dije con firmeza—. Lo que siento por él está más cerca del odio que de la indiferencia, eso lo admito. Cualquiera que hubiese pasado por lo que yo he pasado sentiría lo mismo.

—Supongo que sí. Debe de ser duro sentirte traicionado por la persona que amas.

Me pareció peligroso el rumbo que estaba tomando la conversación, de modo que intenté cambiarlo.

—La verdad es que ni siquiera estoy segura de que aquello fuese amor —precisé rápidamente—. No ocurrió nada entre nosotros, por fortuna. Apenas un par de besos... Yo estaba ilusionada, supongo que me sentía halagada. Edan se aprovechó de mi soledad en la corte de Argasi, de lo poco que yo sabía del mundo.

—Algún día tendrás que contarme en detalle cómo es la vida en esa corte —dijo el rey pensativo—. Al fin y al cabo, si vamos a conquistaros...

Se interrumpió, temiendo haber cometido un error.

Yo reaccioné rápidamente y le alenté con una mirada. Después de todo, lo que me interesaba era ganarme su confianza a corto plazo; comprar tiempo para seguir practicando mi conexión inmaterial con las aguas.

—Si esa conquista llega a producirse, espero que no olvides que se trata de mi pueblo.

—Del pueblo de mi esposa. Por supuesto, no lo olvidaré. ¿Y ellos? ¿Cómo crees que reaccionarán cuando lo sepan?

Le dije que no tenía ni la menor idea, y en eso, al menos, fui completamente sincera.

Kadar se sacudió los cabellos hacia atrás, humedecidos por la brisa marina. Capté una sombra de sospecha en sus ojos; solo una sombra.

—Me alegro de que estés empezando a ver las cosas de otra manera, Kira —me dijo—. Y también de que hayamos aclarado algunos puntos sobre tu relación con Edan, algo que, hasta ahora, nadie se había molestado en explicarme. Ojalá lo hubieses hecho antes.

—Si me lo hubieses preguntado...

—Creía haberlo hecho, a mí manera. En fin: parece que los malentendidos comienzan a aclararse... Será un placer para mí pasar más tiempo contigo a partir ahora, querida. La travesía es larga, y a ratos aburrida. Contigo al menos tengo el entretenimiento garantizado. Y he de confesarte otra cosa: cuando despliegas tus espectáculos de hechicera de las aguas, no puedo dejar de admirarte, pero así, como una mujer de carne y hueso, me gustas mucho más.

CAPÍTULO 24

Mi conversación con Kadar obtuvo los efectos que yo esperaba: más tiempo en la cubierta del barco... y, por lo tanto, más oportunidades para fortalecer mis vínculos invisibles con el mar.

Pronto me acostumbré a escuchar al rey mientras, en mi interior, trabajaba en silencio para afianzar esos lazos que me permitían comunicarme con las aguas y recibir una parte de su poder. Cada día el hilo de plata que unía mi mente a ese poder se volvía un poco más resistente, duraba un poco más.

No tardé en descubrir que podía intensificar la relación de una zona cualquiera de mi cuerpo con el agua si me concentraba en ella lo suficiente. A veces resultaba difícil practicar mis habilidades sin perder el hilo de la conversación con Kadar, y en más de una ocasión me quedé en blanco mientras él esperaba una respuesta a una pregunta que yo ni siquiera había oído.

Kadar, pese a todo, se mostraba extraordinariamente paciente con mis «ausencias». Desde que nuestra relación había mejorado se esforzaba mucho por agradarme. Yo me sentía más cómoda a su lado, y poco a poco llegamos a ser capaces de charlar con tranquilidad, sin hacernos reproches, sin mantenernos constantemente en guardia.

Yo sabía que él se sentía culpable por mantenerme prisionera en mi camarote cuando no estaba a su lado. Tenía miedo de que me arrojase al mar y escapase, supongo. Por mi parte, yo no me quejaba de mi cautiverio, y creo que eso le desconcertaba. Si le hubiese suplicado una y otra vez que me diese más libertad, tengo la impresión de que la situación habría sido más fácil para él. El hecho de que no le pidiese nada le hacía sentirse mezquino y cruel conmigo.

Empezaba a conocerle bien; y eso no simplificaba las cosas para mí. Me estaba entrenando para enfrentarme a él, para impedir que me hiciese daño. Pero eso implicaba que, tarde o temprano, sería yo quien le hiciese daño a él.

Unas semanas antes, casi habría disfrutado con esa perspectiva. Ahora las cosas habían cambiado... Y me inquietaba pensar en lo que ocurriría cuando llegásemos a la isla.

Desembarcamos en el puerto de Orestia al amanecer de un día frío y neblinoso. Jirones de bruma cubrían las cimas volcánicas de la isla, resaltando por contraste el intenso verde de sus laderas.

Me envolví en una gruesa capa de terciopelo para bajar del barco. Una carroza negra tirada por cuatro caballos nos estaba esperando para conducirnos al palacio. Me sorprendió que Kadar se subiese al vehículo conmigo... Normalmente prefiere cabalgar, siempre que es posible.

En cuanto el carruaje se puso en marcha, me di cuenta de que el rey quería decirme algo, y de que no sabía cómo hacerlo. Durante los primeros minutos permanecimos en silencio, mientras él miraba absorto por la ventanilla. Sus dedos no dejaban de tamborilear sobre el brocado verde del asiento.

Por fin me miró. Y esbozó un intento de sonrisa.

—Mañana es la boda —me soltó de golpe—. No tienes que preocuparte por nada, todo está preparado.

Intenté ocultar la zozobra que me producían sus palabras. Él esperaba una respuesta, pero yo no me sentía capaz de hablar sin traicionar mis sentimientos.

Kadar bajó bruscamente la mirada, como si no pudiera soportar la espera por más tiempo.

—Sé que estás asustada —murmuró—. Y sé que la culpa es mía. Ahora que las cosas están a punto de cambiar entre nosotros, creo que ha llegado el momento de que te pida perdón por todo lo que te he hecho sufrir desde que nos... conocimos. Quiero que esto funcione, Kira. Quiero iniciar nuestro matrimonio con buen pie. ¿Tú qué dices?

—Yo... quiero lo mismo —contesté, eligiendo con cuidado mis palabras—. Pero tú sabes que para eso necesito tiempo.

La expresión de Kadar se endureció instantáneamente.

—No, Kira —me advirtió—. No sigas por ese camino.

Sin embargo, yo necesitaba intentarlo al menos. Había captado su inseguridad, su miedo a que las cosas saliesen mal. En el fondo, estaba lleno de dudas. Tenía que aprovecharlas para intentar ganar tiempo.

—Kadar, me dices que quieres que esto funcione; y te creo. Estoy empezando a verte de un modo distinto, pero las heridas no se curan en unos pocos días. Hasta hace una hora me has tenido encerrada en un camarote como tu prisionera. Y mañana pretendes que me convierta en tu esposa... Cualquiera se daría cuenta de que no puede salir bien.

Noté que estaba intentando dominar su frustración antes de hablar.

—Admito que no son las circunstancias ideales —comenzó—. Pero eso no puedo cambiarlo. Te he pedido perdón; es algo que nunca había hecho en mi vida antes de hoy. Podrías valorar mi gesto... Podrías apreciar lo que significa.

La voz le temblaba un poco, a pesar de sus esfuerzos por dominarse.

—Lo aprecio —me apresuré a contestar—. Aprecio tu gesto, y significa mucho para mí, pero no es suficiente. Necesito tiempo, Kadar. Tú me prometiste que lo tendría, que nunca me obligarías a...

—De modo que es eso...

Todas sus buenas intenciones parecieron esfumarse de golpe, dejando paso a una cínica sonrisa.

—Sigues viéndolo como una obligación. Lamento que sea así, Kira; he hecho lo posible por cambiar tu percepción de nuestra relación. Pero, si no es posible, tendré que aceptarlo.

—Es que no tiene por qué ser así. Si me dieras más tiempo, todo sería como tú quieres. No tendrías que imponerme nada que yo no desee. Si esperases a que yo...

—No. Los reyes no esperan —me cortó Kadar, tajante—. Son los demás los que esperan por ellos. ¿Crees que eres diferente de las anteriores reinas de Decia? ¿Crees que mi madre estaba más preparada que tú la víspera de su boda, o mi abuela antes que ella? Todas ellas fueron elegidas para cumplir su destino sin que nadie les preguntase su opinión. Lo cumplieron y ya está... ¿Y sabes qué, Kira? Fueron felices. Tal vez no al principio, pero con el tiempo terminaron adaptándose a su papel. Y a ti te ocurrirá lo mismo... Antes o después.

—Es que yo no deseo pasarme la vida interpretando un papel que ni siquiera he elegido —repliqué, olvidando toda prudencia—. Y tú tampoco deberías quererlo.

—Te estoy ofreciendo una vida que la mayor parte de las mujeres de Decia ni siquiera se atreverían a soñar. ¿De verdad era mejor lo que tenías en Hydra? Según me han dicho, tu situación no era muy diferente a la de una prisionera. Y había quien quería matarte.

—Sí. Pero al menos disfrutaba cada día de algunas horas de privacidad... Y no tenía que compartir mi cama con nadie.

La brutalidad de mis palabras pareció herirle profundamente.

—Está bien. Tú lo has querido, Kira. Si prefieres que hagamos esto por las malas, será por las malas.

—No te atreverás —le desafié.

Una cruel sonrisa se dibujó en su semblante.

—¿Eso crees? Mañana comprobarás si me atrevo o no.

* * *

Después de aquella amenaza, pues realmente había sonado como tal, no volvimos a cruzar palabra en todo el trayecto.

Para aliviar un poco la tensión de aquel silencio, me dediqué a observar el paisaje a través de la ventanilla. Orestia parecía una isla bastante melancólica, con ganado pastando en las colinas y altos arbustos de flores tropicales creciendo salvajes al borde de la carretera. Apenas se veían casas... De cuando en cuando pasábamos por delante de una granja aislada, de una choza de pastores o de un pequeño santuario parecido a los que pueden encontrarse en las aldeas de Hydra. Todas las construcciones tenían un aspecto humilde, pero acogedor.

Pensé en cómo serían las vidas de los habitantes de aquella isla, a qué dedicarían su tiempo, cuáles serían sus esperanzas... Probablemente, la existencia en aquel lugar no sería muy diferente de la de los pescadores de mi aldea. Una vida sencilla, sin lujos ni ambiciones, pobre pero tranquila.

El contraste con lo que nos esperaba a nuestra llegada a palacio no podía ser más llamativo. Se trataba de una elegante construcción de mármol, con tejas de porcelana verde y delicadas molduras doradas en las ventanas. En la escalinata habían colocado una alfombra de color verde, y a ambos lados nos esperaban, en fila, los criados, cocineros, lacayos y doncellas que trabajaban en el edificio. Todos iban impecablemente vestidos con sus uniformes de gala, y se inclinaban o doblaban la rodilla a nuestro paso ejecutando una respetuosa reverencia. Imitando a Kadar, yo les devolvía el saludo con una leve inclinación de cabeza. Envuelta en mi capa manchada de humedad y salitre, me sentía como una vagabunda en medio de tanto lujo.

Kadar se separó de mí en cuanto llegamos al salón principal del castillo. Me había dejado bajo el cuidado de una anciana de rostro risueño cuyo nombre es Sofía, y que hace las funciones de ama de llaves.

—Os estábamos esperando con mucha ilusión, mi señora —me dijo con una gran sonrisa en cuanto nos quedamos a solas—. Este palacio ya iba necesitando a una reina desde hace tiempo... Su Majestad está entusiasmado, y nos lo ha contagiado a todos. ¡No ha reparado en gastos para preparar la ceremonia! Y vuestro ajuar, y vuestras habitaciones... Estoy deseando que las veáis, a ver qué os parecen. ¿Queréis verlas ya?

Le dije que sí, intentando responder a su entusiasmo con un poco de animación, aunque me resultaba extremadamente difícil.

Sofía decidió entonces guiarme en una gira de bienvenida por mis nuevos dominios. Pronto descubrí que Kadar había reservado un ala entera del palacio exclusivamente para mí. En total me correspondían dieciséis apartamentos, todos comunicados entre sí y lujosamente amueblados.

Había de todo: una sala de música con un arpa y un piano; otra sala más grande para bailar; un tocador lleno de delicados frascos que contenían toda clase de ungüentos, cremas y perfumes; un armario que ocupaba tres habitaciones consecutivas... Los vestidos que encontré allí dentro casi me dejaron sin respiración. Estaban confeccionados en vaporosas sedas, brocados con hilos de oro y plata entretejidos, encajes bordados de perlas y maravillosos terciopelos, en una gama de colores que abarcaba todos los matices del agua del mar: desde el azul intenso, el esmeralda y el turquesa a los más delicados tonos grises y plateados.

—Aquel mueble de allí es el joyero —me indicó Sofía, que parecía muy satisfecha con mis muestras de asombro—. Yo misma he estado colocando las joyas en los cajones. ¿Habéis visto qué maravilla? Es madera de caoba con incrustaciones de ébano y nácar. Y mirad...

Sofía empezó a abrir las puertecitas y cajones del mueble y a sacar toda clase de gargantillas, brazaletes, anillos y pendientes para que pudiese admirarlos. Yo no sabía ni qué decir. Diademas de rubíes, broches de oro y marfil, cinturones de perlas, tiaras, collares en los que se mezclaban distintos tipos de piedras preciosas...

Después pasamos a la biblioteca. Era, según me dijo Sofía, un espacio solo para mí, pues la biblioteca general del palacio se encontraba en otra parte del edificio.

Durante unos minutos me paseé entre las estanterías llenas de volúmenes con inscripciones doradas. Los títulos no podían ser más variados y sugerentes: había numerosas obras sobre la historia de Decia, también sobre Hydra, además de recopilaciones de leyendas del mar y libros de poemas.

Desde luego, no iba a tener tiempo para aburrirme.

Sofía había dejado para el final la estancia principal de mis aposentos. Era un dormitorio casi tan grande como un salón de baile, con una preciosa cama protegida por un baldaquino azul e increíbles tapices en las paredes. Una puerta blanca y dorada daba acceso a mi jardín privado. No sé cómo, el rey se las había arreglado para llenarlo de plantas en flor, a pesar de que nos encontrábamos a comienzos del invierno.

—Os dejo a solas para que podáis descansar —me dijo Sofía, mientras yo permitía que mi vista vagara sobre aquel mosaico de flores desconocidas—. El rey ha ordenado que no se os moleste hasta la hora del almuerzo. De todas formas, si necesitáis algo, no tenéis más que tocar la campana.

Le aseguré que no necesitaba nada y me despedí de ella con una sonrisa. Una sonrisa que se borró en cuanto la mujer desapareció tras la puerta del dormitorio principal.

Me senté sobre la cama, cuya colcha azul con bordados de plata parecía una delicada reproducción del firmamento.

Pobre Kadar. Pobre rey orgulloso y terco. Se había tomado muchas molestias para recibirme en su lujoso palacio, sin querer darse cuenta de que para mí no era más que una nueva prisión. Creía que bastaba con aquel despliegue de poder y ostentación para comprar mi lealtad. Para ganar mi amor...

Cansada de reprimir mis sentimientos, hundí mi rostro en la almohada y me eché a llorar.

CAPÍTULO 25

Ha llegado el día de mi boda.

Hasta el último momento creí que sería capaza de evitarlo. No ha sido así. Todo está preparado para la ceremonia. Se celebrará siguiendo un antiguo rito de la monarquía decia, según el cual la novia se baña en una piscina de flores frescas antes de ser coronada. Después de pronunciar en voz alta los votos que obligan a la futura reina a jurar fidelidad eterna a Decia, tendré que cambiarme de vestido para la segunda parte de la fiesta, que es una antigua danza de invocación de las aguas. Y luego, para terminar, se celebrará el banquete.

Son muy pocos los nobles decios que se han desplazado hasta Orestia para asistir a la boda. Todo ha sido demasiado precipitado... y aunque, según parece, se enviaron invitaciones a todos los cortesanos de la capital, el levantamiento de los malditos y las continuas revueltas en Asura han hecho que la mayoría de los invitados no se haya atrevido a abandonar la ciudad.

Por supuesto, la ausencia que más lamenta Kadar es la de su hermana Moira. Y a decir verdad, a mí también me gustaría que estuviera aquí. Quizá ella habría podido evitar que el rey me oblige a usar mi fuerza contra él. Quizá, razonando con su hermano, le habría convencido de que no me impusiera unas condiciones que no quiero aceptar.

Sin embargo, Moira no está. Y sé que Kadar, en el fondo, me culpa a mí. No creo que conozca los detalles del secuestro de Moira, pero sabe que tiene mucho que ver con los malditos y con el renacer de las fuentes. Para él, eso es suficiente... Sospecho que ha mandado un cuerpo entero de su ejército a intentar localizar a los secuestradores, y que por eso ha pospuesto una vez más el ataque definitivo de la flota decia contra las costas de Hydra.

Me da miedo pensar en lo que puede ocurrir si los encuentran. Ode ha cambiado, ya no es la persona reflexiva y sensata que conocí. En su interior arde esa rabia sorda que alimenta el odio de las guerras. Parecía capaz de todo, incluso de hacer daño a alguien tan indefenso como la princesa.

Pase lo que pase, espero que a Moira no le suceda nada. Me pregunto si alguien le habrá contado lo que está ocurriendo aquí, si la noticia de la boda se habrá extendido hasta todos los rincones del país, incluida la guarida de sus captores. ¿Qué pensará del brusco cambio de planes de su hermano? Estoy segura de que no lo aprueba.

Elia me ayuda a ponerme el primer vestido, que me recuerda por su blancura y ligereza la túnica de la antigua Reina de Cristal que me regalaron en Argasi. Y ese lejano recuerdo me hace evocar a Edan...

Cuando lo conocí, no era más que un prisionero. Y ahora vuelve a serlo, pero esta vez son los suyos quienes lo mantienen retenido en una de las fortalezas que él juró defender cuando no era más que un niño. La misma orden militar por la que renunció a todo, incluso al amor, lo trata ahora como un peligro, como una amenaza a la que se debe mantener bajo control. Tiene que ser..., tiene que ser demoledor para él.

¿Sabrá él lo que está ocurriendo hoy aquí, en Orestia?

Quizá no lo lamente. Después de todo, esta boda fue idea suya. No obstante, no puedo quitarme de la cabeza lo que me dijo aquella noche en la que Ode le hirió. Por primera vez, le vi dispuesto a dejarlo todo y a huir conmigo. No creí en sus palabras, naturalmente, pero ¿y si decía la verdad? ¿Y si por una vez estaba siendo sincero?

A lo mejor debería haber huido con él. Ahora estaríamos muy lejos de aquí, en algún lugar donde ni Kadar ni nadie pudiese encontrarnos. Aunque ignoro si tal lugar existe. Ni siquiera sé qué planes tenía Edan, adónde pensaba llevarme... Si le hubiera escuchado...

En cualquier caso, ya es demasiado tarde para pensar en eso y lamentarse. Ahora debo concentrarme en lo que está a punto de ocurrir aquí. Voy a convertirme en la esposa de Kadar. Voy a ser coronada como reina de Decia. Suena tan absurdo que casi me parece imposible que sea real. Y sin embargo, lo es.

No quiero pensar en lo que sucederá después. He decidido no montar ninguna escena durante la ceremonia, hacer todo lo que se espera de mí. Cuando llegue la noche, veremos lo que ocurre...

Si Kadar intenta compartir mi lecho, entonces, me veré obligada a poner en práctica mi plan.

* * *

La ceremonia es hermosa, pero triste. No hay música, solo la recitación melodiosa del chambelán real invocando la protección de los antepasados del rey de Decia. Doce damas vestidas de blanco a las que no había visto jamás acompañan el canto con un extraño murmullo de sus labios. Dos de ellas son las encargadas de conducirme a la piscina de flores, donde me hundo con una extraña sensación de placer a pesar de la situación.

Nunca había visto flores como estas. Son grandes, de pétalos gruesos y céreos, con colores suaves que abarcan todos los tonos entre el blanco y el rosa. Huelen a fruta, a isla tropical, a algo dulce que roza la podredumbre. Tienen la fuerza de las aguas secretas que fluyen bajo la tierra, así que dejo que esa fuerza alimente mis propios dones. Necesitaré ese poder para lo que me espera.

Antes de iniciar la segunda parte del ritual, me retiro con las damas de blanco a una especie de capilla, donde me cambian el vestido por una túnica dorada. Cuando volvemos a salir, doce guerreros con máscaras esperan a las damas para comenzar el baile. Yo ocupo el centro de la figura... con Kadar, que también baila enmascarado.

Como personajes principales de esta parte de la ceremonia, Kadar y yo apenas debemos movernos. Son las otras doce parejas las que giran a nuestro alrededor, entrelazando sobre nosotros un complejo entramado de cintas azules que, según me explica Kadar en un susurro, simboliza el poder antiguo y sagrado de las aguas.

Algo de esa magia ancestral encuentra un eco dentro de mí. Me dejo mecer por la sencilla melodía y me balanceo al ritmo de la música. Poco a poco, me invade una extraña tranquilidad: la fuerza mágica de las aguas está conmigo, está dentro de mí... y yo sé que puede protegerme.

Cuando acaba el baile ritual, la fiesta se vuelve más desorganizada.

Los invitados hablan, se oyen sus murmullos, ríen con discreción, fingen divertirse, o a lo mejor se divierten de verdad, no lo sé. Kadar me presenta a muchos de ellos, me empuja a charlar con unos y otros. Estas gentes se dirigen a mí llamándome «Majestad». Es ridículo.

Todos los platos que se sirven en el banquete de bodas resultan delicadamente exquisitos. Sentada al lado de Kadar, me obligo al menos a probar cada manjar que me sirven. Y eso que me cuesta mucho... La aprensión ante lo que se avecina me atenaza el estómago, y tengo la sensación de que, si continúo comiendo, terminaré vomitando.

Kadar me rellena la copa. El vino que acompaña a la comida es suave y afrutado, pero se sube con rapidez a la cabeza. Me pregunto si en mi copa habría algo más; algún ingrediente especial... Tengo una sensación de ligereza que no es natural, y la angustia que sentía hace apenas unos minutos está empezando a disolverse.

Intento luchar contra esta nueva placidez que se está apoderando de mí. No quiero sentirme bien. Si me dejo llevar por esta sensación de bienestar, olvidaré lo que tengo que hacer. O tal vez, aunque no lo olvide, sea incapaz de reunir el valor que necesito.

La fiesta se prolonga interminablemente, y yo me alegro. No tengo el menor deseo de quedarme a solas con el rey. Prefiero no imaginar lo que ocurrirá, ni cómo. Intento distraerme conversando con mis vecinos de mesa, riéndome de las ocurrencias del rey y de las agudas réplicas de algunos de sus cortesanos.

Kadar parece agradablemente sorprendido por mi actitud. Está pendiente de mí en todo momento, me abruma con sus atenciones. Qué distinto de aquella primera aparición en público, a su lado. Cuando me obligó a exhibir ante todos la marca que él mismo me había hecho. Cuando me erizó la piel acariciándome el cuello con una pluma en presencia de toda la corte, simplemente para demostrarme que podía hacer lo que quisiera conmigo.

Recordar aquella escena resucita todos mis temores. Kadar puede ser cruel cuando se lo propone, y no se detiene ante nada. Ahora mismo sonríe relajado mientras escucha a la dama que se sienta a su izquierda. Está convencido de que esta noche obtendrá lo que desea. A mí.

Poco a poco, los invitados empiezan a retirarse. Capto alguna broma discreta dirigida al rey, y sus respuestas llenas de buen humor. Cuatro de las damas de blanco me rodean de pronto.

—Querida —me susurra una de ellas—, ha llegado el momento.

Me levanto de la mesa. Las piernas me tiemblan tanto que apenas me sostienen. El rey se ha retirado ya con algunos de sus hombres de confianza. Por lo visto, debo esperarle en mi habitación, preparada para la noche de bodas.

Las damas, todas ellas bien entradas en años, me escoltan hasta la cámara nupcial. Me asalta una repentina inseguridad al comprobar que no se trata de mi habitación. Había practicado mi vínculo con las aguas desde mi jardín; después, desde la ventana de mi dormitorio; después, desde la cama... Sin embargo, esta estancia se encuentra en el lado opuesto del palacio. No sé si mis ensayos servirán.

Dos de las damas se quedan conmigo para ayudarme a desvestirme. Las otras dos, mientras tanto, me preparan el baño. Cuando está listo, una de ellas acude a avisarme, sonriente.

—El baño se ha llenado con una mezcla de aguas de Lugdor, de Ayriss y de Akheilos —me explica—. Un regalo especial de Su Majestad.

Contemplo la superficie humeante del agua, aromatizada con ramas de canela y aceite de magnolia. Y sonrío, maravillada.

Kadar no podía haberme hecho un regalo mejor esta noche. Es justo lo que necesito...

Justo lo que necesito para defenderme de él.

CAPÍTULO 26

La habitación está en penumbra. Antes de irse, las damas de blanco encendieron todas las velas. Están distribuidas en el suelo y sobre los muebles, y su resplandor tembloroso danza sobre las paredes, componiendo fantasmagóricas escenas que cambian continuamente.

Espero sentada en la cama. El corazón me late muy deprisa. Me miro con asombro la ceñida túnica de encaje blanco que me han puesto. Tengo que concentrarme...

Cierro los ojos e invoco en silencio el poder de las aguas sagradas. Aún siento sus efectos en mi piel, después de bañarme en ellas. Su magia ha hecho crecer escamas invisibles sobre mi cuerpo, escamas formadas a partir del miedo y la angustia. Resistentes... y muy peligrosas. Lo sé, lo noto. Ojalá Kadar también se dé cuenta.

El rey llama a la puerta con los nudillos, pero entra en la habitación antes de que yo pueda contestarle. Viene directamente hacia mí. Se sienta en la cama, me mira con una sonrisa entre tensa y burlona. Me pregunto si ha estado bebiendo. Sus ojos claros reflejan la luz de las velas.

—Por fin —susurra, alargando una mano para acariciarme el rostro—. Hacía mucho tiempo que...

Sin terminar la frase, emite un alarido salvaje, al mismo tiempo que retira la mano. Su rostro refleja incomprensión. Luego, en el momento en que procesa lo que acaba de pasar, su expresión se transforma en una máscara de dolor y odio.

—Bruja —susurra—. ¿Qué has hecho? ¿Crees que puedes usar tu magia contra mí?

Me obligo a contestarle.

—Sí. Ya has visto que puedo.

Entonces se lanza sobre mí, aplastándome contra el colchón. Su rostro se retuerce de sufrimiento, y siento en mis muñecas las llagas que empiezan a formarse en sus dedos al contacto con mi piel. Aun así no afloja su presión.

—¿Crees que vas a impedirme... que te haga mi esposa así, con dolor? —me pregunta en un susurro—. Estoy... acostumbrado. Puedo soportarlo... Puedo...

—No puedes, Kadar. Por favor, te lo suplico, no lo intentes. No quiero hacerte daño.

Me suelta con un gemido inarticulado. Allí donde su cuerpo ha rozado el mío, su piel está cubierta de ampollas rojas e inflamadas. Algunas sangran.

—No sabes lo que has hecho —dice, temblando de rabia—. Esa barrera maldita que has interpuesto entre nosotros no durará siempre. Antes o después desaparecerá. Y cuando desaparezca..., te haré pagar por esto. Te lo haré pagar cada día y cada noche de tu vida.

—Kadar, tú me has obligado —balbuceo, asustada de lo que he hecho, de lo que estoy haciendo—. Sé que estás furioso conmigo ahora, y lo entiendo. Pero te prometo que no te daré problemas. Delante de todos me comportaré como tu esposa, te obedeceré en todo. Solo te pido que respetes mis deseos... Te lo estoy pidiendo con humildad.

En lugar de responder, Kadar se acerca a mí como si fuese a besarme. Se detiene a escasos centímetros de mi piel. Tengo sus ojos tan cerca que puedo ver mi rostro reflejado en ellos. Su mirada me abrasa.

—Eres lista —susurra, sin apartarse de mí—. No quieres restregarme tu victoria, intentas parecer humilde. Pero no volverás a engañarme, Kira. Ahora que conozco tu juego, no tienes ninguna oportunidad de ganar. ¿Qué creías, que al primer obstáculo me rendiría, que te pediría perdón y aceptaría tus condiciones? No me conoces. Lo único que has conseguido con esto es barrer los remordimientos que empezaba a albergar por imponerte mi voluntad. Ahora estamos en guerra, tú y yo, ¿lo comprendes? Y cuando te derrote, porque te voy a derrotar, voy a ser despiadado contigo.

—Tienes una idea muy extraña del amor —me atrevo a murmurar.

—No se trata solo de amor. Es deseo. Y es poder. Vas a ser mía, y solo cuando te vea a mis pies suplicándome que te perdone, rogándome que no te haga daño, sentiré que he ganado esta batalla.

—Pero es una batalla absurda, Kadar. Tú y yo no tenemos por qué estar en guerra. Hay cosas más importantes...

—No. No lo entiendes —y preparándose para un nuevo acceso de dolor, Kadar me rodea la cintura con su brazo y me aprieta contra su pecho—. Esto es lo más importante ahora, lo único importante. Me estás volviendo loco, Kira. No podré pensar con claridad ni tomar ninguna decisión mientras no seas mía.

Forcejeo para liberarme de su abrazo, y al final lo consigo. Parece que el dolor le ha debilitado. Las mangas de su jubón están rasgadas como si hubiesen sido desgarradas por las zarpas de una fiera, y debajo se puede ver el rosa brillante de las quemaduras.

—No voy a cambiar de opinión —digo con suavidad—. Lo siento.

—¿Crees que no puedo obligarte a cambiar de opinión, aunque me impidas tocarte? Un rey tiene muchas formas de obligar a los demás a hacer lo que él quiere.

—Si vas a amenazarme con matar a Edan...

—No. Ya te he dicho que esto se ha convertido en algo entre tú y yo. Antes de tres semanas estarás compartiendo mi cama y comportándote como una buena esposa. ¿Quieres que hagamos una apuesta?

—Kadar, esto no es un juego. Ahora estamos muy nerviosos los dos; mañana, si tú quieres, lo hablaremos todo con tranquilidad.

—No. No hay nada de que hablar. Voy a encerrarte, Kira. A partir de ahora, serás tratada como una auténtica prisionera de guerra. Permanecerás en una celda sin luz, sin agua para bañarte, y con la comida justa para mantenerte con vida. No saldrás de ella hasta que me demuestres que estás decidida a portarte bien. ¿Lo has entendido?

Le miro horrorizada. No puede hacerme eso, no puede. Él quiere mi amor, quiere conquistar mi voluntad, no destruirla... Eso es lo que siempre me ha dicho.

Si me encierra a oscuras, si me priva del contacto del agua... Sería peor que la muerte para mí. No puedo enfrentarme a eso.

Creo que nota mi terror. Me parece captar en su expresión un destello de esperanza.

Quizá sea el momento de rendirse. Aún estoy a tiempo de cambiarlo todo. Si ahora cedo, si retiro el escudo mágico que me protege la piel, él me perdonará. No será la noche de bodas que yo había soñado, pero si le pido perdón, estoy casi segura de que no se mostrará brutal conmigo, sino todo lo contrario.

Me libraré de la mazmorra. De la oscuridad. Odio la oscuridad.

Puedo hacerlo...

Pero entonces le miro y en ese mismo instante decido que no lo voy a hacer. No es que Kadar me resulte repulsivo, que la idea de convertirme en su mujer me repugne. Lo que me repugna es su falta de respeto, el abuso de poder. No quiero ser amada por alguien que ni siquiera se molesta en intentar ganarse mi amor. Kadar ha elegido la fuerza cuando podría haber elegido la comprensión, la ternura, la voluntad de entender.

—No voy a cambiar de idea —le digo, mirándole a los ojos—. Nunca.

La esperanza muere en su mirada, y pronto la reemplaza una salvaje expresión de cólera.

—Eso ya lo veremos —murmura—. Hasta pronto, querida... Voy a ordenar que preparen los nuevos aposentos de la reina. Quiero asegurarme de que sean exactamente como deben ser.

CAPÍTULO 27

Kadar no bromeaba con sus amenazas. Ya estoy donde él me quiere ahora mismo: en una de sus mazmorras, bajo tierra.

Tumbada en el suelo, en medio de una oscuridad absoluta, empiezo a perder la noción del tiempo. Las horas transcurren muy despacio cuando lo único en lo que puedes pensar es en el frío que te atraviesa los huesos, en el hambre que no te deja dormir, en el miedo.

Ni siquiera tengo una cama. El rey no hace las cosas a medias. El suelo es de piedra, y siempre está helado, tan helado que tienes la sensación de que está húmedo, aunque no lo está. La celda es bastante amplia, y no tiene ninguna ventana. Tampoco hay muebles. Solo un maloliente retrete en un rincón, una jarra de barro que tengo que buscar a tientas cuando me entra sed... y un espejo.

Lo descubrí cuando me trajeron la primera comida (unas gachas de harina, igual que todos los días desde que me encerraron). El carcelero me dejó una vela. Entonces me di cuenta de que en una pared había un espejo de marco dorado y lujoso. Me pareció una broma cruel.

Dejando el plato de hojalata en el suelo, me arrastré a mirarme. Se me escapó un grito de incredulidad. Apenas me reconocía... Es cierto que para entonces ya llevaba veinticuatro horas encerrada. Pasé un día entero sin comer. Supongo que Kadar pensó que era la mejor manera de hacerme entender la situación.

Había llorado tanto que tenía los ojos hinchados, y unas bolsas oscuras bajo los párpados. El frío me había amoratado la piel y los labios. Ni siquiera me habían permitido cambiarme... Seguía llevando puesta la delicada túnica de encaje de mi noche de bodas.

Volví a mirar mi reflejo al día siguiente, cuando me trajeron una rebanada de pan para el desayuno. Entonces me di cuenta de que el espejo, en realidad, ocultaba una ventana por la que me estaban vigilando.

Me imaginé a Kadar al otro lado, espiando mi rápido deterioro con una sonrisa triunfal. Me dio náuseas...

Desde entonces no he vuelto a mirarme.

Las comidas no son regulares. Algunos días solo me sirven las gachas del almuerzo, otros me traen además pan para el desayuno. Nunca hay cena. Al principio, el hambre me desesperaba. Pero poco a poco me he ido acostumbrando. En cierto modo, Kadar me ha hecho un favor al racionarme tanto la comida: mi cuerpo se ha visto obligado a adaptarse... y, gracias a eso, ahora soy capaz de rechazar el alimento.

Quiero demostrarle al rey que, incluso en estas circunstancias, puedo ser yo quien fije los términos de nuestra relación. Si le exijo al carcelero que se lleve la comida sin tocarla, soy yo la que controla la situación. Además, sin comida no hay luz, y Kadar no puede disfrutar del espectáculo de mi derrota.

Supongo que eso le molesta, porque esta mañana, al traerme agua, el carcelero me dejó dos velas encendidas. Llevaba tanto tiempo en la oscuridad que su débil resplandor, al principio, me ha hecho daño. Cuando conseguí acostumbrarme, me arrastré hasta las velas... y soplé sobre ellas.

Hace una semana habría dado cualquier cosa por esa luz. Ahora ya no la quiero. Ya no la necesito.

Me queda este diario interior con el que me entretengo cuando no estoy dormida, y la certeza de que esto no puede durar mucho. Mi cuerpo no es fuerte, y la escasez de agua está haciendo estragos en mi piel. La siento cuarteada, agrietada por la sequedad del aire.

A veces desperdicio un poco del agua de beber mojándome con ella las regiones más doloridas. Son, sobre todo, las articulaciones: los codos, las rodillas, los tobillos. Sin embargo, no hay suficiente agua para aliviar el dolor. Nunca hay suficiente.

Ojalá pudiera sufrir un poco menos el tiempo que me queda. Ojalá me dejasen, antes de que todo termine, darme un último baño en el mar. Volver a sentir el vértigo de la metamorfosis, la serenidad de fundirme una última vez con las aguas.

Pero sé que no ocurrirá. Tendré que conformarme con recordar cómo era, recordar lo que se sentía.

¡Tantos, tantos recuerdos! Mi primera conversión en el ritual de la aldea. El viaje en un carruaje hasta Argasi. Mi casa en la corte, con sus canales de aguas transparentes en el suelo y sus paredes como acuarios. Lo perdí todo por confiar en Edan.

Ojalá no nos hubiésemos conocido nunca. Hemos sido una maldición el uno para el otro. Si no nos hubiésemos encontrado, él sería ahora el Gran Maestre de la orden de los caballeros del Desierto, y yo me habría convertido en una de las nobles más respetadas de Argasi. Todo ha resultado un desastre entre nosotros. Si no nos hubiésemos enamorado...

Y aun así, hubo momentos hermosos. Momentos casi perfectos. Pocos, muy pocos. Para contarlos me bastarían los dedos de una mano. Cuando me da por recordar, me viene a la memoria, sobre todo, nuestro primer beso. Y luego, recuerdo el último.

No me arrepiento de las decisiones que he tomado. Después de todo lo que he vivido en esta cárcel, en la oscuridad, siento que me conozco mejor. No soy la clase de persona capaz de comerciar con sus sentimientos. Ni soy tan débil como todos creían. Sé lo que quiero y lo que no. Si me quedase tiempo, si aún pudiese elegir, querría volver a practicar con mis dones, recorrer las fuentes sagradas de Decia que aún siguen enfermas y sanarlas. Porque mi vínculo con las aguas me permite ser quien soy, sentir que alcanzo una especie de plenitud. Algo que nunca he sentido ni podría sentir con Kadar... ni siquiera con Edan.

Conservo un tenue hilo de plata que me une al océano. Podría haber intentado usarlo para mejorar las condiciones de mi cautiverio, para influir sobre mi carcelero..., pero no he querido. Lo estoy reservando hasta el último momento, por si Kadar vuelve a intentar acercarse a mí.

A veces pienso que está esperando a que me encuentre tan débil que ya ni siquiera pueda abrir los ojos, y que entonces me sacará de aquí y me devolverá a esa maldita cámara nupcial. Solo de pensarlo siento escalofríos. Pero, si lo hace, se encontrará con una desagradable sorpresa: todavía guardo un poco de poder dentro de mí, el suficiente para protegerme de él hasta que me llegue la hora.

No... no quiero malgastar mis últimas energías en autocompadecerme. Ni tampoco en odiar a Kadar. Si no estuviese tan ciego, tan convencido de que tiene derecho a lograrlo todo por la fuerza, quizá podríamos haber llegado a respetarnos. Yo le habría ayudado a pacificar Decia, a devolverle su antigua prosperidad. Juntos habríamos podido lograr grandes cosas.

Edan podría haberle ofrecido eso cuando llegué aquí: mi

total cooperación, mis poderes, mi extraño don para curar las viejas heridas de su país. ¿Por qué tuvo que ofrecerme a mí?

Esa maldita palabra: amor...

Desearía que no existiera. Que nunca se hubiese inventado. Sin ella, mi vida habría sido muy distinta.

* * *

No sé cuánto tiempo he estado inconsciente. O quizá dormía. A estas alturas, ya es difícil distinguir el sueño normal de un desvanecimiento por debilidad.

Me ha despertado un resplandor intenso. No quería abrir los ojos, pero una voz me llamaba. Repetía mi nombre: Kira, Kira...

Alguien me tomó en brazos. Me transportó por un largo corredor, y luego salimos a la luz del sol.

Creí que iba a morirme, no podía soportar su intensidad. Intenté taparme los ojos con la mano, pero estaba demasiado débil para moverla.

El calor, sin embargo, era tan dulce que me hizo sonreír. Creía que no volvería a sentirlo, que moriría envuelta en aquella sensación gélida de la celda. Esto ha sido un regalo...

Creo que he vuelto a perder el conocimiento. Al despertar, me he atrevido por fin a despegar los párpados. Y lo que he visto me ha dejado sin aliento: ¡el mar!

Estoy en una playa, tendida en un confortable lecho, mirando el océano. Al verme abrir los ojos, alguien me ayuda a incorporarme. Me acerca una bebida humeante a los labios, y bebo con avidez. Es un caldo similar al que mi madre nos preparaba de niños a mi hermano y a mí, cuando estábamos enfermos.

Por fin consigo alzar la vista hasta el rostro de la persona que sostiene el cuenco: ¡es Kadar!

Es Kadar, y tiene lágrimas en los ojos.

—Gracias al cielo —murmura—. Gracias a todos los dioses. Perdóname, por favor, perdóname. Aunque yo no me lo perdonaré nunca.

Intento hablar, pero mis cuerdas vocales no me obedecen. Y mi lengua, demasiado pastosa y seca, se niega a vocalizar. Aun así, necesito preguntarle algo, así que sigo esforzándome. Al tercer intento consigo que me entienda.

—¿Que si vas a volver allí? No, Kira. Nunca. Ahora descansa. A partir de ahora todo será distinto.

Siento una aguda opresión en el pecho. Es angustia. No quiero que me dé falsas esperanzas. No si luego va a quitármelas, como otras veces.

—Yo... no he cambiado —consigo articular.

—Ya lo sé. Ya lo he visto. No te preocupes, Kira, no hace falta que cambies. Soy yo el que he cambiado. Me he convertido en otro hombre. Tú me has convertido en otro hombre.

Trato de sonreírle. Las comisuras de los labios, agrietadas por la falta de agua, me duelen terriblemente.

—No más... guerras —murmuro.

Él también sonríe a través de las lágrimas.

—No, Kira. No más guerras. Ni más amenazas, ni más imposiciones. A partir de ahora, tú pones las reglas..., al menos, entre nosotros dos.

CAPÍTULO 28

Día a día me voy sintiendo un poco más fuerte. Ya puedo caminar sin ayuda desde mi cama al balcón de mi nuevo dormitorio, que ofrece una maravillosa vista sobre el mar.

He recuperado el apetito, y me aprovecho de mis nuevos privilegios en palacio para encargar en las cocinas todos los platos que más me gustan: ostras aromatizadas con cilantro, hojaldres de carne especiada, rosquillas de canela... Si continúo comiendo a este ritmo, no tardaré en recuperar todo el peso que perdí durante mi cautiverio. ¡Quizá debería empezar a controlarme!

Lo mejor es que cada día puedo disfrutar de un baño marino. Estas no son las aguas mágicas del palacio de Argasi, ni las de las fuentes de Ayriss o de Lugdor, pero casi lo prefiero. Las aguas naturales me ofrecen una libertad que nunca antes había disfrutado. Puedo nadar durante horas sin fundirme con el líquido, disfrutando únicamente de su contacto y de los lazos que me unen a él. Y, si me apetece, puedo transformarme... Dejo que mis manos y mis pies se disuelvan y fluyan, mezclándose con las olas. Y sin esforzarme comienzo a transmitir mi voluntad a las aguas que me rodean, a experimentar con delicados surtidores, cambios de color y efectos de luz.

Sé que a veces Kadar espía estos juegos desde el mirador del palacio, pero no me importa. Me deja hacer lo que quiera, sin interferir, y ni siquiera se atreve a comentarlo después. Jamás había gozado de tanta libertad en mi relación con el agua... Y es curioso, pero creo que esta libertad está siendo más beneficiosa para mis dones que todos los entrenamientos a los que tuve que someterme en Argasi.

Cuando salgo del agua, por desgracia, vuelvo a sentirme débil e insegura, y apenas soy capaz de andar. Elia me está esperando con una silla de ruedas, y en ella me conduce al jardín de invierno, donde el rey me aguarda paseando bajo las anchas copas de los tejos o entre los parterres de crisantemos blancos.

Kadar parece una persona distinta. Habla poco, hace muchas preguntas, y escucha las respuestas con expresión atenta. A veces permanecemos juntos durante largo rato sin cruzar palabra. De vez en cuando me cuenta cosas de su infancia en Asura. He descubierto que conserva muchos recuerdos traumáticos relacionados con su padre, Eldor, que por lo visto era un hombre despótico y brutal. Ni siquiera su esposa se libraba de sus crueles insultos e imposiciones. Edan tuvo suerte criándose lejos de su influencia.

Yo misma me sorprendo, pero lo cierto es que me siento bien cuando estoy con Kadar. Supongo que debería odiarle por lo que me ha hecho, pero su arrepentimiento es tan evidente que no puedo verlo como al mismo hombre que me mantuvo encerrada sin luz ni apenas comida para doblegar mi voluntad.

El nuevo Kadar nunca ha intentado acariciarme ni besarme. Ni siquiera se molesta en fingir que nuestro matrimonio es real delante de los pocos cortesanos que comparten nuestras vidas aquí en palacio. Aun así, todos me llaman «Majestad», se inclinan a mi paso y me tratan como si yo fuera la reina.

A veces me pregunto si esto es lo que Kadar anhela para el resto de nuestras vidas. Y creo que los demás también se lo preguntan. Palpo el nerviosismo a nuestro alrededor, un malestar callado que crece día a día por la inacción del rey. Se supone que, ahora mismo, Kadar debería estar sitiando las costas de Hydra con su flota; sin embargo, esta partió sin él hace semanas, y no se sabe nada de su posición ni de sus posibles planes de ataque.

Por otro lado, las noticias que nos llegan de tierra firme no pueden ser más inquietantes: los malditos ganan fuerza en las zonas rurales y controlan ya las principales carreteras del país. Además, se ha difundido el rumor de que luchan codo con codo con un peligroso general hidrio.

Los decios nunca habían visto a mi pueblo como una amenaza militar real. Querían conquistarnos para dominar nuestras aguas y nuestros dones, y jamás pensaron que nosotros pudiésemos amenazar seriamente su territorio. Al fin y al cabo, la mayor parte de la nobleza hidria está integrada por mujeres, y los hombres en nuestra sociedad no suelen ostentar cargos de relevancia. Para los decios, eso es sinónimo de debilidad... Ahora, están empezando a comprobar lo erróneo de ese planteamiento.

Cada vez son más las voces que se alzan pidiendo el regreso del rey a Asura. Por su parte, Kadar no reacciona. Escucha las quejas nerviosas de sus ministros, las súplicas de sus cortesanos, y se limita a sonreír y a asegurar que cada cosa tiene su tiempo. Nadie entiende qué le ocurre... El Kadar que todos conocíamos habría tomado las riendas de la situación hace mucho.

Es posible que yo sea la menos indicada para exigirle explicaciones, pero lo cierto es que empiezo a sentirme tan impaciente y ansiosa como los demás. No podemos permanecer en Orestia eternamente, alejados de la realidad, en una burbuja de agradables paseos, baños reconfortantes y platos deliciosos. El mundo se hunde a nuestro alrededor, y nosotros..., nosotros deberíamos hacer algo.

Así que he decidido hablar hoy con Kadar. Necesito saber por qué no hace nada, a qué está esperando.

Mi pregunta aparentemente le pilla por sorpresa. Me contempla con una sonrisa perpleja.

—¿Tú quieres que haga algo? —me pregunta a su vez—. ¿Respecto a qué?

—Pues... respecto a todo. ¡Eres el rey! No puedes ignorar lo que está ocurriendo en tu país.

—Los malditos son tu gente. Creía que te resultaban simpáticos.

—Los malditos son tu gente, no la mía. Son decios, Kadar. Lo que ocurre es que no se sienten aceptados. Si hicieras algo por reconocer sus problemas, por darles un lugar en el reino...

Kadar menea la cabeza, pensativo.

—Puede que tengas razón, pero para eso antes deberían renunciar a la violencia y entregar las armas.

—Muy bien. Exígeles que lo hagan. Dales una salida. Probablemente las revueltas se acaben.

—¿Desde cuándo te importan tanto los problemas de Decia? Su tranquilidad empieza a irritarme.

—No lo sé... ¿Desde que soy la reina de este país?

Él sonríe complacido.

—Celebro que lo veas así, Kira. No te preocupes, todo esto pasará.

—Lo que no entiendo es cómo no te preocupas tú —replico, mirándole con incredulidad—. ¡Eres el rey, Kadar! Todos esperan que hagas algo, y tú...

—No lo entiendes.

De pronto se ha puesto muy serio, y una sombra del antiguo Kadar oscurece sus ojos.

—No quiero hacer nada. Lo que ha ocurrido aquí entre nosotros me ha cambiado, Kira. No pienso volver a cometer los errores del pasado. Necesito replantearme mi vida, lo que realmente me importa, lo que deseo.

—Pero esto no tiene nada que ver contigo y conmigo —insisto, asustada por su terquedad—. Es tu pueblo. Te necesitan. Están esperando que tomes decisiones.

—Un hombre que no se conoce a sí mismo no debería tener en sus manos el destino de los demás —murmura él sombríamente.

—No estarás pensando en...

—¿En abdicar? No, ni siquiera me lo he planteado. No obstante, no puedo seguir reinando como lo he hecho hasta ahora, contra el mundo, contra todos. Tiene que haber otra manera de hacer las cosas. Solo que necesito empezar de cero, ¿me comprendes, Kira? Necesito volver a aprenderlo todo, desde el principio.

—Por desgracia no hay tiempo para eso. Si tú no actúas, otros lo harán. Los malditos no están solos; creo que lo sabes.

El rey me mira con curiosidad.

—¿Quién es ese general hidrio que los ha organizado? ¿Tú lo conoces? ¿Debería preocuparme?

—Lo conozco, sí —admití—. Es inteligente, y paciente. Sabe conservar la calma y sacar el mejor partido de cada situación, de cada persona.

—Suena como si lo admiraras. Si gana, será la victoria de tu pueblo. No entiendo por qué pareces tan interesada en que me enfrente a él.

—No quiero que os enfrentéis. Deseo la paz entre Decia e Hydra, pero no sé qué diablos hay que hacer para conseguirla. Si lo supiera...

—Es mucho lo que tú puedes hacer. Eres la reina de Decia, y eres una noble hidria. Yo tengo plena confianza en ti, Kira. Si alguien puede conseguir que los dos reinos tengan un futuro juntos, esa eres tú.

—Pero yo... no quiero esa responsabilidad.

Kadar se encoge de hombros y despliega una mueca que no sé si refleja resignación o diversión.

—En ese caso, no deberías darme lecciones de responsabilidad a mí.

No entiendo su actitud. Me exaspera. Es como si ya no le importara nada, como si el destino de su pueblo y del mío le resultasen indiferentes.

—Muy bien —murmuro—. Si es así como lo ves, hagámoslo juntos.

Me mira con aire ausente, como si no recordase muy bien de qué estamos hablando.

—¿Hacer qué?

—No sé, ¡algo! Enviemos un ultimátum a los malditos, por ejemplo. O propongamos un acuerdo de paz a los hidrios. ¡Lo que sea!

Su mirada vuelve a enfocarse sobre mi rostro. Por fin parece haber regresado de sus ensoñaciones.

—Si eso te tranquiliza, ya estoy haciendo algo —me dice, sonriendo—. He enviado un destacamento con mis mejores hombres para liberar a Moira. Uno de mis espías ha descubierto dónde la retienen. Está en Asura. ¿Puedes creértelo? En la capital misma del reino.

—Kadar, no me habías dicho nada. ¿Cuándo van a liberarla?

—Es cuestión de horas. Por eso no he querido hacer nada en estos días que pudiera poner en peligro la operación. ¿Lo entiendes ahora?

Se me escapa un suspiro de alivio.

—¡Claro que lo entiendo! —aseguro—. Y me alegro mucho de que vayan a liberarla. ¿No será peligroso?

—La operación está diseñada para salvaguardar la vida de Moira al precio que sea.

—¿Y después? Cuando la liberen, ¿qué vas a hacer?

Antes de que me conteste, leo en sus ojos que no tiene un plan, que ni siquiera ha pensado en ello. Y eso me asusta.

Pero Kadar me sonríe tranquilizadoramente.

—Cada cosa a su tiempo, Kira —dice en tono misterioso—. A veces, no hacer nada es también actuar.

CAPÍTULO 29

Dicen en mi aldea que, cuando un pescador escapa vivo de un naufragio, los dioses le agrandan el corazón. Es una manera de explicar por qué los que sobreviven a un desastre parecen más felices que el resto de los mortales: sienten que el destino les ha regalado una segunda oportunidad, y que su deber es aprovecharla.

Mi suerte puede compararse con la de esos pescadores supervivientes. Estaba segura de que iba a morir, cuando de repente todo cambió. He pasado de una celda sin luz a la mejor habitación del palacio de Orestia. Soy la reina de un gran país, y puedo hacer mucho, a partir de ahora, para cambiar las vidas de miles de personas. No solo en Decia, sino también en mi isla, en Hydra. Sé que, con mi influencia, puedo terminar consiguiendo una paz duradera entre los dos países. Es solo cuestión de tiempo...

¿Por qué, entonces, no me siento feliz?

Kadar ya no me agobia ni me exige nada. El palacio es magnífico; la comida, excelente; la isla, un oasis de verdor en medio del mar; y las aguas de sus playas, un regalo para alguien como yo. Debería estar disfrutando de todo esto sin preocuparme por lo que sucede lejos de aquí. Y sin embargo... Es como cuando, en un día de otoño despejado y perfecto, de pronto sientes que se acerca un huracán. El viento es débil aún, apenas hace oscilar las ramas más finas de los árboles, ni siquiera tiene fuerza para arrancarles las hojas; pero tú sabes que es solo el principio, y que después llegarán rachas cada vez más violentas, capaces de arrancar árboles enteros.

Así es como yo me siento. La calma que reina en esta isla es demasiado irreal. No puede durar.

Cada vez que llega al puerto un barco con noticias de tierra firme, me echo a temblar. Y eso que, algunas veces, las noticias, en un principio, parecen buenas.

Hace una semana, sin ir más lejos, llegó a la isla uno de los lugartenientes de confianza del rey. El hombre, conocido como Elder de Araon, formaba parte de la expedición que Kadar envió a rescatar a su hermana. El rey lo recibió en privado, pero apenas llevaban media hora reunidos, cuando me mandó llamar. Se encontraban en uno de los miradores de la torre norte del palacio, y en cuanto me acerqué supe, por la sonrisa de mi esposo, que tenía algo agradable que comunicarme.

—Moira está a salvo —anunció en tono triunfal—. Se recupera satisfactoriamente en el palacio de Asura.

Dejé escapar un suspiro de alivio.

—¿Está bien? ¿Cómo la liberaron? ¿Dónde la tenían?

El rey le pidió a Elder que me diese todos los detalles. Al principio, su explicación me pareció confusa y torpe, hasta que poco a poco me di cuenta de cuál era el verdadero problema. Elder quería presentar la operación de rescate como un éxito, pero no podía ocultar del todo la verdad. Y la verdad era que el asalto a las posiciones de los malditos en las afueras de Asura se había saldado con un altísimo número de bajas en ambos bandos.

Lo que había comenzado como un ataque encubierto terminó convirtiéndose, según pude deducir de las incompletas respuestas de Elder, en una sangrienta carnicería. Moira estaba confinada en una humilde casa de un barrio de construcciones de madera hacinadas en el lado exterior de las murallas. Pues bien: por culpa del ataque, el barrio entero fue pasto de las llamas. Hubo centenares de muertos..., entre ellos, muchos niños.

Me sorprendió que Kadar se tomase aquello como un triunfo. Parecía totalmente satisfecho con el desenlace de la operación. ¿Es que no se daba cuenta de las implicaciones que tendría aquella masacre para su imagen de cara al pueblo?

Intenté hacérselo comprender cuando nos quedamos a solas después de la cena. Habíamos salido a dar un paseo por la playa, como hacemos últimamente todas las noches.

Kadar me escuchó con respeto, si bien mis argumentos no parecieron impresionarle.

—Es comprensible que te preocupes, Kira. Todavía no piensas con la lógica de un gobernante. Es muy triste lo que ha pasado con esos pobres críos que murieron en el incendio, pero yo no soy el culpable de su tragedia. Si sus padres hubiesen denunciado lo que estaba pasando, si hubiesen entregado a los malditos que habían instalado junto a sus casas su cuartel general, ahora no estarían lamentándose. De todas formas, estamos hablando de unos barracones infectos, con unas condiciones de vida deplorables. Créeme, a los que han sobrevivido les hemos hecho un favor quemándolos. Esos sitios son focos de epidemias, de toda clase de plagas.

—No creo que la forma de acabar con las epidemias sea matando a toda la gente que vive en ese lugar.

Kadar hizo un gesto de impaciencia.

—Yo no pretendía que ocurriese esto. No ha sido algo premeditado. Nadie puede culparme de que haya ordenado un asalto para liberar a mi hermana. Cualquiera lo habría hecho en mi lugar. Y además, la gente adora a Moira... Estoy seguro de que la mayoría aprueba lo que hemos hecho.

No insistí más, porque aunque me horrorizaba su sangre fría al hablar de las muertes de esos pobres niños, pensé que Kadar tenía razón a su manera. Él debía de conocer a su pueblo mejor que yo... Si pensaba que no había motivos para temer una reacción violenta, sería porque realmente no los había. Eso fue lo que me dije.

Al final, los hechos han demostrado que era el rey quien se equivocaba.

Hoy ha llegado otro mensajero. Este no arribó a la isla en un lujoso velero de tres palos, sino en una humilde barca de pesca. Venía solo, y no era un guerrero, sino un antiguo lacayo del castillo de Asura. Traía un mensaje privado de Moira.

Yo estaba con Kadar cuando este rompió el lacre con el sello de su hermana y desplegó el papel para leerlo. A medida que sus ojos recorrían los renglones de elegante caligrafía, su rostro se iba ensombreciendo por momentos.

Mientras tanto, el hombre que había traído el mensaje esperaba de pie junto a la chimenea encendida. Me di cuenta de que estaba agotado.

—¿Quieres retirarte a comer algo y a descansar un poco? —le pregunté, acercándome—. Necesitas reponer fuerzas.

—Sí. Pero antes debo hablar con el rey.

Kadar levantó los ojos de la carta y miró al lacayo.

—¿Moira te dijo algo más? ¿Algo que no está aquí escrito?

—No, ella no. Fue después...

Kadar me tendió el papel para que pudiera leerlo mientras él seguía interrogando al hombre. Durante unos minutos, me concentré completamente en el texto, y no oí al mensajero.

En su carta, Moira le comunicaba a Kadar que los ciudadanos de Asura se habían levantado en armas y tenían sitiado el palacio real. La indignación por el incendio del barrio de Sujo había desatado una revolución en toda regla. La gente estaba descontrolada. Moira había salido por dos veces a hablarles desde el Balcón de las Promesas. Las dos veces la habían interrumpido con gritos y abucheos, obligándola a retirarse sin terminar su discurso.

Pero el movimiento iba más allá de una protesta airada: tres incendios se habían declarado en el palacio desde el estallido de las revueltas. Los tres pudieron ser controlados a tiempo, pero habían provocado daños considerables. Moira estaba asustada... Terminaba la carta rogándole a su hermano que regresase a la capital cuanto antes.

Solo cuando acabé de leer, presté atención a la conversación entre el rey y el mensajero.

—Intenté hacerle llegar un mensaje a Su Alteza pidiéndole instrucciones, pero no me contestó. No sabía si seguir esperando a ver si me llegaba una respuesta o venir aquí. Al final decidí venir... Es lo que Su Alteza me encargó.

Kadar asintió en silencio. Estaba muy pálido, y parecía confuso. Un terrible presentimiento se apoderó de mí.

—¿Atacaron el palacio? —pregunté—. La princesa...

—No sé lo que pasó, yo ya no estaba allí. Me enteré en la posada del puerto. La gente habla mucho..., pero a veces no saben ni de lo que hablan. De todas formas, todos coincidían en que Su Alteza no estaba ya en palacio cuando lo atacaron. Decían que una escolta de caballeros del Desierto la había sacado de la ciudad la víspera del ataque, por la noche.

Le puse a Kadar una mano en el antebrazo. Él se estremeció, sobresaltado, y me miró. De pronto era como si no me reconociera, como si se estuviese preguntando qué hacía yo allí.

—Si todos dicen que huyó, seguro que es cierto —dije, creyendo que eso le animaría—. Piénsalo, Kadar. Si la princesa hubiese sufrido algún daño, la noticia se habría extendido como la pólvora.

—No has oído toda la historia, ¿verdad? —me preguntó con una extraña sonrisa.

—No. Lo siento... ¿Qué ocurre?

—Cyril ha renunciado a su cargo de Gran Maestre. Los caballeros del Desierto han elegido a Edan como su sucesor. Las ocho fortalezas se han levantado en armas, y sus hombres marchan hacia la capital. Dicen que lo hacen para apoyar la rebelión del pueblo... Quieren destronarme, Kira, y quieren que Edan ocupe mi lugar.

CAPÍTULO 30

Algo malo le ocurre a Kadar.

Tal vez debería alegrarme. Es el hombre que me obligó a casarme con él por la fuerza, el que me mantuvo encerrada en una celda durante semanas en las peores condiciones posibles.

Sin embargo, no me alegro. Al contrario: observo cómo se van deteriorando sus facultades, como el que hasta hace poco era un rey orgulloso se va convirtiendo en una sombra de sí mismo, y me desespero. Quisiera ayudarle. No porque lo merezca: sé que es culpable de muchas cosas, aparte del daño que me haya podido hacer a mí. Pero, a pesar de todo, yo siempre reconocí en él cierta grandeza, algo que le hacía sobresalir allí donde estuviese, que le habría hecho destacar aunque no hubiese sido el rey.

Era un líder nato; podría haber sido un héroe. Es triste ver cómo todas esas cualidades se van disolviendo lentamente, dejando tan solo el cascarón vacío de una mente enferma.

No sé cuál es su enfermedad, si es que se puede llamar enfermedad a ese estupor en el que Kadar se halla sumergido. No sé si es algo que ha elegido él o no. A veces ni siquiera sé si es

consciente de lo mucho que ha cambiado. Él parece perfectamente satisfecho de sí mismo, a pesar de que todo se está des-
moronando a su alrededor. Y no es que no se dé cuenta... Lo
sabe, pero es como si no le importara.

No soy la única que está preocupada. En la última semana
han llegado a la isla dos barcos grandes y varias embarcaciones
de recreo, todas cargadas de pasajeros procedentes de la capital. Los nobles de Asura huyen en desbandada ante la situación
de caos que reina en la ciudad. Se sienten abandonados por su
rey, y le exigen que actúe. El palacio está más animado que
nunca con las idas y venidas de los cortesanos recién llegados,
y todas las noches se celebran banquetes y bailes a los que el
rey y yo asistimos como anfitriones. Pero la alegría que reina
en esas fiestas es artificial. Bajo las máscaras sonrientes de los
caballeros y los esmerados maquillajes de las damas, se deja
sentir un malestar silencioso, una impaciencia que casi puede
palparse, y que crece día a día.

Las noticias que han llegado de Hydra no han contribui-
do, precisamente, a mejorar los ánimos. La flota decia ha sufrido una derrota completa en las costas de Pylos, un islote
cercano a mi isla. Según los rumores que han llegado hasta el
palacio, siete barcos de guerra resultaron hundidos, y tres
fueron abordados y capturados por la flota hidria. El general
Dimas, comandante en jefe de las operaciones, figura entre
los prisioneros. Los barcos que lograron escapar de la masacre se han refugiado en la península de Kyrina, porque no
confiaban en poder llegar hasta las costas decias. Las bajas
son muy numerosas, y he oído murmurar a los cortesanos
que esta derrota supone un golpe mortal para el poderío na-
val del reino.

Sin la armada del rey, la única fuerza militar que queda en
Decia capaz de sofocar la rebelión de los malditos es la de los
caballeros del Desierto. Todos aquí son conscientes de que es-

tamos asistiendo al fin de una época. El rey no podrá mantenerse en el poder sin el apoyo de las ocho fortalezas.

Aun así, todos creen que el acuerdo es posible. La orden del Desierto tiene tanto interés como el propio monarca en restablecer la paz. Todos esperan un gesto de Kadar hacia su hermano para acabar con los viejos rencores y sellar una nueva alianza. O quizá del nuevo Gran Maestre...

Lo que no saben es que el gesto de Edan se ha producido ya.

Esta mañana, antes del amanecer, llegó a palacio un hombre encapuchado que se identificó como Heirich de Lugdor. Es un antiguo compañero de armas de Edan, y traía un pergamino sellado para el rey.

No creo que Kadar, en esta ocasión, se hubiese apresurado a avisarme para compartir conmigo la noticia. Pero la casualidad quiso que yo me enterase de la llegada de Heirich antes que él. Había madrugado para darme un baño en el mar, y subía con Elia desde el embarcadero privado del rey cuando nos topamos con un lacayo que andaba buscando a Kadar. Le habían dicho que el rey estaba en el embarcadero con su esposa.

En cuanto el lacayo me informó de que un caballero del Desierto esperaba en el salón de audiencias con un mensaje para Su Majestad, me ofrecí a llevarle el recado a Kadar personalmente.

Quería observar su reacción cuando oyese la noticia. Sobre todo, quería acompañarlo y averiguar qué quería Heirich.

Kadar estaba aún dormido, a pesar de que su ayuda de cámara ya había descorrido las cortinas y la luz del sol entraba a raudales a través de un cristal.

Me senté en su cama y le agarré la mano con suavidad para despertarle. Abrió los ojos sobresaltado, pero al reconocerme sonrió como un niño.

—Vaya, Kira. Esto sí que es una novedad.

—Ha llegado un caballero del Desierto, un tal Heirich de Lugdor. Trae un mensaje de Edan y quiere verte lo antes posible. Pensé que querrías recibirle.

Kadar cerró los ojos, dio un par de vueltas en la cama y se desperezó.

—Vaya —gruñó, mirándome—. Así que no has venido a darme los buenos días.

—Parece importante. Pero si quieres que le diga que espere...

—No, no. Ahora mismo bajo.

Mientras él se vestía, yo me dispuse a volver a mis aposentos, pero en las escaleras cambié de opinión. Heirich estaba solo en el salón de audiencias, esperando. ¿Por qué no ir a verle directamente? Así no necesitaría aguardar a que el rey me invitase a reunirme con él para enterarme de lo que ocurría.

Heirich se volvió con viveza al oír la puerta del salón y me saludó con una brusca reverencia. Era un hombre joven todavía, aunque su gesto adusto y las arrugas verticales de su frente le daban un aspecto rígido, demasiado formal.

Al verle recordé que nos habíamos conocido fugazmente en la fortaleza de Lugdor, poco después de mi llegada a Decia. Él también me reconoció, pero, si le sorprendió mi aparición en lugar del rey, se guardó mucho de manifestarlo.

No obstante, me bastaron unos minutos de conversación para darme cuenta de que no confiaba en mí. Cuando le pregunté por las revueltas de Asura y de las otras ciudades, me contestó con evasivas. Supongo que no sabía cómo hablar de los malditos en mi presencia. Tal vez temía ofenderme.

Renuncié enseguida a tratar de sacarle información, y me dediqué a entretenerle con observaciones intrascendentes hasta que llegó el rey.

Kadar no ocultó su sorpresa al verme allí, con el recién llegado. Lo curioso es que pareció agradarle. Me sonrió abiertamente antes de dirigirse a saludar a Heirich con una fría inclinación de cabeza.

—Me dicen que os envía mi hermano —dijo, dispuesto a demostrar desde el principio que prefería abordar el asunto de la manera más directa posible—. ¿Con qué objetivo?

—Majestad, el Gran Maestre os explica sus intenciones con todo detalle en esta carta.

Heirich tendió el pergamino lacrado a Kadar, y este rompió el sello rápidamente.

Durante unos instantes leyó en silencio. Luego se volvió hacia mí.

—Mi hermano me insta a abandonar la comodidad de mi retiro para reunirme con él en Ayriss. ¿Qué te parece, querida?

Me sonrojé, consciente de la sensación de incomodidad de Heirich.

—Majestad, no creo que yo sea la más indicada para...

—No hace falta que seas tan formal delante de Heirich; es un viejo amigo de la familia. Llámame por mi nombre, como haces siempre en privado.

—Está bien, pero sigo pensando que mi opinión no es importante en este asunto.

En los ojos de Kadar capté un brillo de advertencia que me recordó los viejos tiempos.

—Aun así, quiero que la expreses —exigió—. Aquí, en presencia de Heirich, para que luego pueda contárselo todo a su buen amigo Edan. ¿Qué te parece la propuesta de mi hermano, Kira? ¿Debería aceptar?

—En mi opinión, sí —dije con firmeza—. Tal y como están las cosas, es la única manera de hacer frente a las revueltas.

Heirich me miró sorprendido. Al parecer, no esperaba oírme hablar en defensa de los intereses decios.

Por supuesto, lo que yo intentaba, en realidad, era hablar en favor de la paz.

A Kadar, en cambio, mi respuesta no le causó el menor asombro.

—Tú siempre tan conciliadora, querida. Sin embargo, olvidas que los caballeros del Desierto se han rebelado recientemente contra nosotros, deponiendo al Gran Maestre que yo nombré, para elegir a alguien a quien yo, expresamente, había ordenado encarcelar por traición.

—En cuanto a eso, Majestad, permitidme que os diga que no fue exactamente así —intervino Heirich, nervioso—. Cyril renunció a su cargo por su propia voluntad, y en cuanto a vuestro hermano...

—Mi hermano es un traidor, y al elegirle a él, toda la orden me ha traicionado —le cortó Kadar con sequedad.

—Pero, Majestad, vos sabéis mejor que nadie que Edan es el más indicado para afrontar los graves retos que se avecinan. Cyril no tiene su temple. Y en cuanto a lealtad...

—Basta, Heirich. No tengo tiempo para escuchar vuestras retorcidas excusas. Si tenéis algún interés en alcanzar un pacto conmigo, exijo que devolváis a Edan a la prisión de la que lo habéis sacado y que Cyril ocupe de nuevo su cargo. Es todo cuanto tengo que decir.

Heirich se había puesto muy pálido. Las palabras del rey eran una ofensa deliberada, no solo hacia él, sino hacia toda la orden.

—Majestad, sabéis perfectamente que eso no ocurrirá —dijo en voz baja.

—En ese caso, decidle a mi hermano que no se atreva a enviarme a ningún otro mensajero, si no quiere que termine colgado de una de mis torres para que se lo coman los cuervos. Es un traidor. Y un loco... ¿De verdad pensaba que le iba a decir que sí, que iba a correr a reunirme con él para suplicarle ayuda? Antes preferiría ver este país arrasado y convertido en un inmenso desierto.

—Kadar, no sabes lo que estás diciendo —dije, incapaz de contenerme por más tiempo—. Heirich, por favor, perdonad la forma de expresarse de mi esposo. Está agotado, y eso le ha hecho olvidar por un momento el respeto que se le debe a un mensajero.

Kadar me miró con una tranquila sonrisa.

—Kira ejerciendo de reina de Decia. Mírala, Heirich. ¿Quién iba a decir que una muchacha hidria llegaría a tomarse nuestros problemas tan en serio? No olvides contárselo a Edan cuando le veas. Le gustará saberlo: al fin y al cabo este feliz matrimonio fue idea suya.

—Majestad, no quisiera tener que regresar ante el Gran Maestre con la respuesta que me habéis dado. Si quisierais reconsiderar vuestra posición... La orden solo quiere ayudaros, mi señor. Nadie piensa en disputaros el trono. Si es lo que os han hecho creer, os han engañado. El Gran Maestre insistió mucho en que os transmitiera su más inquebrantable lealtad hacia vos y su deseo de arreglar las cosas.

—¿Y por qué no ha venido a decírmelo él mismo? Si tanto interés tiene...

—Porque la situación no lo permite, Majestad. Vuestra hermana ha escapado con vida de milagro, el palacio de Asura ha sido incendiado, y necesitamos concentrar todos nuestros esfuerzos en recuperar la capital. Para vos, Alteza... Lo único que os pedimos es que nos dejéis ayudaros.

Kadar observó unos instantes al mensajero con aire pensativo.

—Eres un buen hombre, Heirich —dijo finalmente—. Y no quiero que te vayas con un mal sabor de boca. No he pretendido insultarte, ni a ti ni a ninguno de los caballeros de tu orden. Sé que entre ellos hay muchos hombres valientes, que han prestado grandes servicios a Decia. Decídselo de mi parte. A todos... Y decidles también que, en las circunstancias presentes, no puedo acceder a vuestros deseos. No pienso abandonar esta isla para ir a postrarme ante mi hermano. Nadie va a moverme de Orestia.

Noté cómo los ojos de Heirich se humedecían de lágrimas.

—¿Eso es todo, mi señor? ¿No hay ninguna forma de haceros cambiar de opinión?

—No, Heirich. Vuelve con los tuyos y haced lo que tengáis que hacer. Yo lo único que quiero es que me dejéis en paz.

CAPÍTULO 31

A estas alturas ya es imposible ocultar el estado mental de Kadar. Todo el mundo en palacio se da cuenta de que no es él mismo. Estaban acostumbrados a sus cambios de humor, a sus excentricidades, pero esta apatía que se ha apoderado de él es algo nuevo para todos.

Los nobles saben que la situación en el país empeora irrevocablemente. Saben que Edan mandó a uno de sus hombres de confianza para intentar sentar las bases de un pacto con el rey y que Kadar no aceptó. El problema es que interpretan todo lo que está pasando de una forma completamente equivocada. ¡Me culpan a mí!

Sé que, aunque no lo digan abiertamente, todos aquí me consideran una especie de bruja. Y creen que he hechizado a Kadar. Noto la hostilidad de sus miradas, la forma en que me contestan, bajando los ojos, cada vez que me dirijo a ellos, como si temieran que fuese a usar mis poderes para maldecirlos. ¡Gente ignorante y malpensada! Si no fuera por lo cobardes que son, creo que ya habrían intentado matarme. Por suerte, el miedo que me tienen es mayor que su odio, y apenas se atreven a acercase a mí.

Pese a lo mucho que ha cambiado, Kadar no ha perdido su inteligencia. Se da cuenta de lo que piensan sus cortesanos sobre mí, y esos recelos le divierten muchísimo. A veces bromea con ellos y les cuenta mentiras sobre los supuestos hechizos que yo puedo hacer, para aumentar sus temores. Le he pedido por favor que no lo haga, pero no me hace ningún caso. Disfruta como un niño con ese estúpido juego.

La situación se está volviendo insostenible. Si no hacemos nada, incluso los nobles refugiados en Orestia se volverán contra nosotros. Porque en esto, Kadar y yo estamos juntos. Mi suerte depende de la suya.

Es irónico que, al final, después de tantos desencuentros, nuestros destinos hayan terminado unidos de esta manera. Y más irónico aún es que no me importe. No lamento haberme convertido en la reina de Decia ni en la esposa de Kadar. Al contrario, me alegro... porque, desde esta posición, tal vez pueda hacer algo por cambiar las cosas.

Yo, por si acaso, me estoy preparando.

Todas las mañanas me levanto al amanecer y me doy un largo baño en el mar para fortalecer y afinar mis poderes. No se trata de simples baños de placer: en cada sesión aprovecho para ensayar diferentes metamorfosis y grados de conversión. Experimento con los efectos de mi voluntad sobre el agua, comprobando hasta dónde llegan en la distancia y cuánto tiempo soy capaz de mantenerlos. Si me veo obligada a usar mi don, quiero hacerlo con eficacia. Y puede que el momento de usarlo esté ya muy cerca.

Esta mañana, después de mi última metamorfosis, me quedé unos segundos flotando inmóvil en el agua, mientras intentaba recuperarme del esfuerzo. De pronto, sentí que algo tiraba de mí hacia abajo, y me dejé arrastrar hacia el fondo. Era uno de esos hilos de plata que entrelazan los movimientos del agua con los pensamientos de los hombres. Pero este hilo no lo había creado yo.

Dejé que mis manos se volvieran líquidas y que fluyeran alrededor de aquel hilo invisible, hasta que capté su origen: el hilo me condujo a una visión tan vívida que parecía un fragmento de la realidad. Una visión de Ode.

Estaba dando órdenes en la cubierta de un barco decio. Los hombres que lo rodeaban tenían un aspecto feroz y estaban marcados por extraños tatuajes en la cara y en el cuello. Marineros profesionales. Los había de distintas nacionalidades, incluidos algunos hidrios. Y con ellos viajaban decenas de malditos... Todos armados.

Intenté ampliar la perspectiva de mi visión para comprobar si había más naves. Las había: seis en total, todas galeras de guerra con velas blancas o rojas. Y no estaban demasiado lejos de las costas de Orestia.

La visión me turbó de tal forma que durante unos minutos perdí el control de la conversión. Dejé que mi cuerpo se fundiera enteramente con las aguas hasta desaparecer, mientras trataba de llegar, remontando el hilo de plata, hasta los pensamientos de Ode.

En algún momento los alcancé. De pronto, estaba dentro de su cabeza, oyendo, sintiendo, reflexionando con él. Entonces supe lo que se proponía...

Un violento escalofrío me devolvió repentinamente a mi forma humana. Nunca antes había salido de una conversión con tanta brusquedad. La metamorfosis fue tan rápida que tragué agua, y emergí a la superficie escupiendo y tosiendo. Suerte que nadie estaba allí para verme; ni siquiera Elia.

Ahora sé que Ode viene aquí para matar al rey.

No puedo calcular con exactitud a qué distancia se encuentra su flota de la isla. No tan cerca como para llegar de inmediato... Tardarán seguramente entre dos y tres días. Pero vienen con un propósito muy claro: acabar con Kadar.

Lo que no llegué a descubrir es lo que piensa hacer después. ¿Se enfrentarán sus hombres a los cortesanos de aquí? ¿Los obligarán a rendirse? Tal vez tengan la intención de hacer prisioneros para canjearlos luego por gente de su bando. O quizá no; no tendría sentido hacer prisioneros si esto supone el final de la guerra.

Un final en el que la pequeña e insignificante Hydra gana, y el imperio Decio es derrotado. ¿Quién iba a imaginar que eso fuera posible? Lo más a lo que aspirábamos los hidrios, hasta hace poco, era a conservar nuestra libertad. Y ahora resulta que las tornas se habían cambiado, que estamos en condiciones de tomar el poder en el país que hasta hace poco nos amenazaba con su tiranía.

Me pregunto cómo encajarán mis compatriotas esta nueva situación. Han sufrido los ataques de Decia durante siglos. No me extrañaría que el resentimiento acumulado durante generaciones desencadenase una feroz venganza contra los decios.

Ojalá no suceda así.

He pensado en avisar al rey. Pero no puedo hacer eso; Ode es de los míos. Vino a Decia para rescatarme, y puede que una de sus motivaciones principales para atacar esta isla sea precisamente la de liberarme a mí.

Sin embargo, yo ya no necesito que me liberen. Hace tiempo que gozo aquí de una completa libertad. Y esta gente, a pesar de su desconfianza hacia mí, también es ahora mi gente. No deseo que les arrebaten todo lo que tienen, no quiero verlos reducidos a la esclavitud.

Si pudiera evitarlo...

Le he dado muchas vueltas, y al final he decidido hablar con Kadar. No voy a contarle los planes de Ode ni ningún detalle sobre su flota; eso sería una traición. Sin embargo, sí voy a intentar convencerle de que abandonemos juntos la isla.

El rey sabe que me propongo algo. Nos hemos citado, como hacemos casi todas las tardes, en el jardín de invierno. El sol está a punto de ponerse, y Kadar ha permanecido encerrado en sus aposentos hasta ahora. Según me cuenta él mismo, no tenía ningún deseo de abandonar la cama.

—Kadar, no puedes seguir así —le digo, sin más preámbulos—. Esta isla te está matando. Volvamos a Asura o, si la situación allí es demasiado peligrosa, vayamos a cualquier otro sitio. Debes de tener otros palacios y residencias en el continente.

—Los tengo. Pero ahora mismo no me apetece viajar.

—Aquí no estamos haciendo nada —insisto, mirándole a los ojos—. Tu país se desangra y tú no estás haciendo nada por impedirlo. Eres el rey... Antes o después tendrás que reaccionar.

—También soy un hombre. Un hombre que necesita encontrarse a sí mismo, después de haber vivido extraviado durante demasiado tiempo. Eso también es importante.

—Sí, pero las dos cosas tienen que ser compatibles. ¿No puedes seguir gobernando mientras te buscas a ti mismo?

Kadar sonríe burlonamente.

—Nunca se me ha dado bien hacer dos cosas a la vez. Quizá ese sea mi problema: desde niño me he dedicado en cuerpo y alma a este país, a servirlo, a liderarlo. Y no me he ocupado de mí mismo, Kira, de gobernar mi propio espíritu.

—No es tarde para aprender a hacerlo. Pero no necesitas abandonar todas tus obligaciones.

—No lo entiendes —me interrumpe, irritado—. Esas obligaciones eran las del antiguo Kadar. No tienen nada que ver conmigo. Soy un hombre distinto, Kira. Aquella tarde, en la celda contigua a la tuya, mientras te espiaba a través de la ventana que tú veías desde dentro como un espejo, de pronto me vi en el cristal, vi mi reflejo superpuesto a tu imagen. Allí estabas tú, demacrada, destruida, cada día un paso más cerca de la muerte, y sobre tu rostro delicado y frágil, vi el reflejo del monstruo. Era yo, Kira. Era yo.

—No tienes por qué recordar eso ahora. Ya ha pasado... Yo lo he olvidado.

—Te equivocas. Debo recordarlo. Quiero recordarlo todos los días del resto de mi vida. No pude soportarlo, ¿sabes? Ver en qué me había convertido. De pronto me di cuenta de que aquel monstruo no era yo de verdad, de que nunca lo había sido. Era mi máscara, la máscara que mi padre me obligó a ponerme cuando era solo un niño para enseñarme a tomar decisiones despiadadas sin sentirme culpable. Ni siquiera tuve elección. Me entrenaron para ser así, y no les fue nada fácil convertirme en lo que soy. A veces me rebelaba. No quería ser responsable de tantas vidas, de tanto sufrimiento. Pero mi padre no me daba tregua. La única forma de sobrevivir a sus crueldades era volverse tan cruel como él. Y no es una justificación, Kira, nada puede justificar lo que te hice. Solo intento que me entiendas.

Sus palabras me han puesto un nudo en la garganta. Me recuerdan la pesadilla de la mazmorra y, al mismo tiempo, consiguen transmitirme todo el pesar de su arrepentimiento.

—Lo importante es que has rectificado —murmuro—. No necesitas seguir castigándote por lo que hiciste en el pasado. Si, como tú dices, eras otro hombre, no tiene sentido que sigas sufriendo por alguien que ya no existe.

—No es tan fácil. Existe dentro de mí. Y es fuerte aún. En cualquier momento podría regresar; ya lo ha intentado. Por eso tengo que estar vigilante todo el tiempo, ¿comprendes? Para impedir que vuelva. Y eso consume prácticamente todas mis energías.

—Te subestimas, Kadar. Estoy segura de que tu nueva personalidad es mucho más fuerte de lo que crees. Lo bastante para tomar las riendas y empezar a actuar. Vámonos a algún sitio, juntos. Comencemos de cero... No es demasiado tarde.

Mi tono desesperado le llama la atención. Me mira con curiosidad..., una curiosidad mezclada con esperanza.

—¿Por qué te preocupas tanto por mí? Kira, no me atrevo a creer... Por favor, no me engañes, sabes que ya no es necesario. Quiero saber la verdad. Pienso que lo merezco. Si empiezas a sentir algo por mí, algo real, por favor, no me lo ocultes. Porque eso..., eso podría cambiarlo todo.

Por un momento siento la tentación de gritarle que sí, que es cierto, que empiezo a sentir algo por él. Pero él tiene razón: su coraje, su determinación de convertirse en otro hombre merecen algo mejor que una mentira o una verdad a medias.

—Siento algo por ti, Kadar —le digo, con total sinceridad—. He aprendido a estimarte y, a pesar de todo lo que ha ocurrido entre nosotros, es como si sintiese que nos une un vínculo especial. Me importas, me importas mucho...

—Ya. Estás intentando decirme que no me amas.

Su tono neutro, apagado, me rompe el corazón.

—No de esa manera —admito con un hilo de voz.

—No como amas a Edan.

Nos miramos unos instantes en silencio. Kadar es más apuesto que su hermano. Incluso ahora, en plena crisis espiritual, es la viva imagen del poder, de la valentía.

Ojalá pudiese amarle.

Pero el amor no es algo que pueda imponerse, ni controlarse, ni destruirse a voluntad. Los dos lo sabemos.

—Ni siquiera estoy segura de amar a Edan. No sé si llegué a amarlo alguna vez.

Estoy siendo completamente sincera con él, igual que conmigo misma. Pero eso no le hace sentirse mejor.

—¿Sabes? Si yo hubiese estado en el lugar de Edan, nunca habría renunciado a ti —me asegura con una sonrisa—. Habría hecho lo que fuera por eliminar los obstáculos entre nosotros. Lo que fuera.

—Lo sé. Supongo que él no es así.

—No te merece.

Nos miramos largo rato sin decir nada. El silencio ya no nos resulta incómodo.

—Vamos juntos a Asura —le digo—. Seré tu reina, estaré a tu lado en todo momento. Entre los dos podemos darle la vuelta a esta situación. Podemos hacer mucho por este país.

—No, Kira. Sería una farsa. Tú no eres mi reina ni lo serás nunca.

—¿Quién sabe? Las cosas pueden cambiar. Tú has cambiado.

Me mira dubitativo.

—¿En serio lo crees?

Asiento, intentando convencerme a mí misma.

—Es una posibilidad. No lo sabremos nunca si no lo intentamos. Pero me tienes que ayudar, Kadar. No puedo hacerlo sola.

Casi me duele ver cómo mis palabras encienden una chispa de optimismo en sus ojos tristes.

—De acuerdo —dice—. Voy a pensarlo... Sé que estamos hablando de una posibilidad remota, pero se trata de ti, Kira. Se trata de tu amor, y quiero intentarlo; tú mereces que luche, que lo siga intentando hasta el final.

CAPÍTULO 32

Esta mañana, cuando subía las escaleras de mármol de la playa después de darme un baño, Elia me salió al encuentro. Tenía las mejillas sonrosadas y respiraba agitadamente, como si hubiese venido corriendo.

—Mi reina, hay un grupo de caballeros que insiste en veros. Son cinco. Por la forma en que van vestidos y los broches de oro de sus capas, yo diría que son personas importantes.

—¿Se alojan en palacio?

—No, aunque los he visto en alguna de las últimas recepciones. No sé qué les pasa, parecen bastante alterados. Yo creo que han discutido entre ellos.

Intrigada, me dirigí a mis aposentos privados para cambiarme de ropa y arreglarme el pelo. Me puse un lujoso vestido de terciopelo granate y un collar de diamantes. Era la primera vez que alguien solicitaba una audiencia conmigo en mi papel de reina, y quería mostrarme a la altura de las circunstancias.

Elia me recogió los cabellos húmedos en un moño sujeto por una trenza. Entrelazó varios cordones de plata al peinado para darle un aspecto más elegante. Y todo, en apenas unos minutos... Es admirable lo mucho que ha aprendido en el tiempo que lleva sustituyendo a Dunia.

Los cinco nobles me aguardaban en un pequeño salón situado en el mismo corredor que mi dormitorio. Elia lo había elegido porque se trataba de un rincón discreto y alejado de las zonas más concurridas del palacio.

Reconocí a dos de los hombres en cuanto los vi. Uno era un anciano de barba gris y gran estatura al que Kadar me había presentado unos días antes. El otro, un joven de cabellos largos y rubios, había estado presente en varias veladas de las que habíamos celebrado en el palacio.

—Sir Rostach, Sir Aramer —saludé, felicitándome internamente por mi facilidad para recordar nombres—, ¿cómo os encontráis? Perdonadme, no tengo el gusto de conocer a estos caballeros...

—Majestad, os presento a Sir Carald de Arburgo, a su hermano Sir Ludmil y a Sir Edmundo de Northayle. Perdonad vos que nos hayamos atrevido a importunaros de esta forma sin previo aviso, pero la situación es muy grave, y no sabíamos qué hacer.

—El rey no ha querido recibirnos —dijo Sir Aramer en tono airado—. No sé cuáles serán sus razones, pero permitidme que os diga que se equivoca.

—Sir Aramer —le reconvino Carald—. Por favor, controlaos. No hemos venido a quejarnos del rey, sino a exponerle a la reina nuestras consideraciones.

—Dicen que a vos os escucha —observó el anciano Rostach mirándome con curiosidad—. Y también dicen que le aconsejáis bien y sensatamente, pese a lo que muchos... esperaban. Disculpad mi crudeza, no pretendo ser impertinente, pero la situación requiere claridad... ¿Podemos contar con vos, señora?

—Esa es una pregunta extraña, teniendo en cuenta que todavía no me habéis informado sobre vuestros propósitos —repliqué, sin ocultar mi irritación.

Los hombres se miraron unos a otros. Era evidente que aquella entrevista les resultaba tan incómoda a ellos como a mí. Debían de estar muy desesperados para recurrir a una hechicera hidria en busca de ayuda. Se notaba que me temían y que no sabían cómo abordar la conversación.

—Dejadme que os ayude —dije, al ver que no se decidían a hablar—. Queréis que convenza de algo al rey. ¿De qué?

—Tiene que reunirse con su hermano y liderar con él la lucha contra los rebeldes —afirmó Sir Ludmil con su agradable voz de bajo—. No puede quedarse al margen del combate.

—Si dejamos que toda la gloria se la lleven los caballeros del Desierto, a la larga tendremos que pagar por ello —le apoyó Carald—. Significaría un cambio de régimen. Al rey no le interesa... ni a vos tampoco.

—Sobrevaloráis mi influencia sobre el rey, me temo —observé con una sonrisa—. Su Majestad está acostumbrado a tomar sus propias decisiones, y no creo que nada de lo que yo le diga le haga cambiar de idea.

—Al menos a vos os escuchará —replicó Sir Aramer—. Es ahora o nunca, Majestad. La flota del rey ha regresado mermada y derrotada de su batalla contra los hidrios. Nosotros, si sumamos nuestros esfuerzos, podemos reunir dinero suficiente para fletar nuevos barcos. Pero antes necesitamos acabar con las revueltas internas del país, y para eso debemos contar con los caballeros.

—Estoy segura de que el rey conoce la situación a fondo y tiene un plan para afrontarla —dije, en tono digno—. Aun así, le expondré vuestros argumentos. Es todo lo que puedo prometeros.

—Es todo lo que os pedimos. Gracias, Alteza —dijo Rostach, inclinándose en una rápida reverencia que sus compañeros imitaron antes de abandonar la sala.

Cuando me quedé a solas, estuve un rato sopesando lo que debía hacer y cómo. Sabía que Kadar se irritaría con aquellos hombres por haber recurrido a mí. Además, nada de lo que me habían dicho era nuevo para el rey. Si no actuaba no era porque no fuese consciente de la situación, sino porque no encontraba en su interior la energía para hacerle frente.

Por otro lado, los nobles tenían razón. Algo había que hacer. Y cada vez quedaba menos tiempo...

Decidí ir en busca del rey para contarle mi conversación con Rostach y los otros cortesanos. Tenía la sensación de que, desde nuestra última charla, se mostraba algo menos ausente. Incluso, a ratos, se le veía preocupado... Quizá bastase un último impulso para animarle a actuar.

Envié a Elia con un mensaje para Yasef, el ayuda de cámara de Su Majestad, indicándole que deseaba reunirme con él lo antes posible. Sin embargo, Elia regresó con una extraña noticia: el rey no aparecía por ninguna parte, y sus hombres de confianza no tenían ni la menor idea de dónde podía estar.

Inmediatamente me dirigí en persona a hablar con Yasef. Quería saber si había notado algo raro en Kadar al ir a despertarlo por la mañana, si se encontraba indispuesto o si se había mostrado inquieto. El ayuda de cámara me aseguró que el rey se había levantado de excelente humor y que le había anunciado que pensaba salir a dar un largo paseo por la costa. Yasef avisó a los hombres de su guardia personal para que se dispusieran a acompañarle, pero cuando se presentaron ante Kadar este les dijo que no los necesitaba.

Así pues, el rey había salido solo a primera hora de la mañana, y todavía no había regresado.

No había pasado tanto tiempo como para preocuparse. Aun así, me entró miedo por él. Con el descontento creciente de la población, incluso en aquella isla, era una locura que hubiese renunciado a su escolta. ¿Y si alguien aprovechaba su soledad para atacarle?

Mis temores se disiparon cuando Elia vino a anunciarme que el rey me esperaba en el jardín de invierno, como de costumbre.

Corrí a reunirme con él. Yo aún llevaba puesto el vestido granate y el collar de diamantes que había elegido para recibir a Sir Rostach y los otros caballeros. Kadar se fijó enseguida en la elegancia inusual de mi atuendo.

—Vaya, me alegro de que hayas decidido por fin vestirte como una reina, y no como una de tus doncellas —me dijo con una sonrisa.

Le expliqué el motivo por el que me había vestido así. Al oír mencionar a los cinco cortesanos que habían asistido a la audiencia, su rostro se ensombreció.

—Esos inútiles... En lugar de exigirme que actúe para salvarles el cuello, deberían preguntarse por qué no hicieron nada cuando estaban en Asura para defender la ciudad. Huyeron como pájaros asustados, dejándoles el campo libre a los rebeldes. Y ahora se atreven a perseguirme y a pedirme cuentas.

—Están acostumbrados a que les saquen las castañas del fuego, supongo, y esperan que esta vez sea así también.

—Lo sé —murmuró Kadar. Arrancó una flor blanca de un arbusto de rododendros y empezó a desprender uno a uno sus pétalos, pensativo—. De todas formas, resulta cómico ver a los nobles de Asura tan ansiosos por llegar a un acuerdo con los caballeros del Desierto. No sé si lo sabes, pero se odian. Los cortesanos consideran a los miembros de la orden una panda de hipócritas que se sienten superiores por sus votos y por la austeridad de sus costumbres. Y los caballeros del Desierto desprecian la debilidad de los integrantes de la corte, su afición al lujo y a la buena comida. No solo eso... Siempre que tienen ocasión, muestran en público ese desprecio.

—Entonces Sir Rostach y sus amigos deben de estar muy desesperados para querer llegar a un acuerdo con la orden —dije pensativa.

—Lo que les pasa a Sir Rostach y a los otros es que no tienen la menor imaginación —afirmó Kadar con una desdeñosa sonrisa—. Son incapaces de pensar en una solución que no pase por la alianza con la orden.

—¿Y tú crees que... esa solución existe?

—Sí. Lo he estado pensando mucho, y tengo un plan. Pero por ahora debe quedar entre nosotros. Justamente esta mañana he ido a poner en marcha mi proyecto. Necesitamos un barco, y lo necesitamos ya. Conozco a un armador de la isla que es de confianza. Me ha asegurado que en tres días estará en condiciones de entregarme la mejor embarcación de su astillero.

Le miré asombrada.

—¿Así que volvemos al continente?

—Sí. Pero no vamos a ver a Edan. No lo necesitamos. Haremos algo mucho mejor, Kira. Podemos sorprender a todos con un movimiento que no esperan.

—Ya. Estás pensando en regresar a Asura.

—No, eso sería muy arriesgado, por el momento. Antes hay que dar un golpe de efecto, algo que los desconcierte a todos, que los pille con el paso cambiado. Conozco a mi pueblo, aún sé cómo ganármelo. Ellos querían la curación de las fuentes, pero la rebelión de unos pocos ha hecho que les entren dudas, que ya no sepan qué es bueno y qué es malo. Nosotros se lo vamos a recordar.

—¿Nosotros?

—Sí: tú y yo. En realidad, tú eres la pieza fundamental en mi plan. Vamos a ir a Talloc, Kira, la séptima fortaleza. Aunque la corte, mi palacio y el templo de las Aguas Dormidas están en Asura, las aguas sagradas que custodia la fortaleza de Talloc eran, según las viejas leyendas, las más poderosas de toda Decia. Tú vas a devolverles la salud, vas a hacer que fluyan de nuevo. Y al final de la ceremonia, yo anunciaré una nueva era de prosperidad en la que los malditos dejarán de serlo. Todos los que acepten abandonar las armas y jurarme lealtad recibirán un cargo en la nueva orden que vamos a fundar: la orden de los «Elegidos de las Aguas». Ahora que las fuentes se han curado, los caballeros del Desierto han perdido su razón de ser. Hace falta una nueva organización para un tiempo nuevo. Piénsalo, Kira: ¿no es una idea brillante? Terminaremos de un plumazo con la revuelta y, de paso, el pueblo verá cómo les damos una lección a esos engreídos de la orden. ¡Es perfecto!

Le miré, poco convencida.

—Quizá hace unas semanas habría estado bien... Pero las cosas ya han ido demasiado lejos. Los malditos han arrasado pueblos enteros, cada vez tienen más poder. Tu pueblo no verá con buenos ojos que los recompenses a cambio de la paz. Querrán que sean castigados.

—En una guerra hay que hacer concesiones. Haremos pagar a los cabecillas por la destrucción causada. Al resto los perdonaremos.

—Además, hay otro problema. No están solos, Kadar.

—¿Te refieres a los hidrios? Sin los malditos de su parte, no tienen nada que hacer aquí. Una cosa es que hayan logrado derrotar a nuestra flota en su terreno, que es el mar, y otra muy distinta es que quieran aventurarse a una invasión por tierra. Si no están locos, seguramente se darán cuenta de que no tienen ninguna posibilidad.

Su optimismo logró arrastrarme, al menos por un momento. Hacía tiempo que no lo veía tan animado. Oyéndole hablar, su plan parecía casi razonable.

Y además, yo quería creerle.

—La idea es buena, pero no necesitas enfrentar a la nueva orden con la orden del Desierto. Eso solo traería más problemas —le dije—. Y no supone ninguna ventaja... Lo importante de tu plan es que, con la nueva orden, les estarías ofreciendo una salida pacífica a los malditos.

—Pues aún no has oído lo mejor de todo —me respondió él con los ojos brillantes—. ¿Sabes quién estará a la cabeza de esa orden? Serás tú, Kira. Como una especie de Suma Sacerdotisa o algo así. ¡No me digas que no es perfecto!

Aquello me hizo ser consciente de la realidad.

—No, Kadar. Soy una extranjera aquí, la gente me teme. No, es mejor que me dejes al margen. Si de verdad quieres crear esa orden...

—Vamos, Kira, no seas tan pesimista. Cambiarás de opinión cuando veas cómo se entusiasman todos en Talloc al comprobar lo que eres capaz de hacer. Tú solo déjame que lo ponga todo en marcha.

—¿Cuándo?

—Ya te lo he dicho: en tres días, cuatro como mucho... Hasta entonces, no digas nada a nadie. Y eso incluye a Elia, ¿de acuerdo? Lo que hemos hablado debe quedar entre nosotros. Por el momento, no quiero que nadie sepa lo que vamos a hacer.

CAPÍTULO 33

Quizá le estoy siguiendo la corriente a un loco.

O quizá es que hay algo dentro de mí que me hace ponerme siempre del lado de los perdedores.

Pero no. Kadar no es un perdedor. No lo será nunca, aunque le derroten. No es la clase de persona que se deja destruir por un fracaso.

Debería odiarle y, en cambio, le estoy ayudando. ¿Por qué? No estoy enamorada de él, eso lo sé. Aunque existen tantas clases de amor...

Sencillamente, creo que es justo que me quede a su lado ahora que las cosas se están poniendo feas. Los barcos de Ode no tardarán en llegar a la isla. Resulta extraño ver a todos estos nobles yendo y viniendo por el palacio sin imaginar lo que se avecina. Solo Elia sabe lo que yo sé. Ella también lo ha visto, gracias a su don. Ha intentado contármelo, pero yo se lo he impedido. Y le he dicho..., le he dicho que se lo guarde todo para ella, que no se lo revele a nadie.

Pienso que así morirá menos gente. Si el palacio no está preparado para defenderse, Ode y los suyos lo tomarán con facilidad. Ode no es sanguinario: no matará solo por matar.

Sin embargo, si aviso al rey de lo que va a ocurrir, él intentará organizar una defensa. Los hombres esperarán armados. Habrá combate... y se producirán muchas muertes, sin que eso cambie, al final, el resultado del enfrentamiento.

Por eso he accedido a abandonar la isla con Kadar. Él desconoce todo lo referente a la flota hidria, no tiene ni idea de lo que está a punto de pasar en la isla. Si lo supiera, probablemente renunciaría a su plan. Sin embargo, yo no quiero que renuncie. Esta podría ser su última oportunidad para pasar a la historia como el gran rey que consiguió devolver a su pueblo el poder de las aguas sagradas.

Cuanto más se acerca el momento de nuestra partida, más entusiasmado parece. No para de hablarme de sus grandes ideas para convertir el ritual de curación de la fuente de Talloc en un colosal acontecimiento que se recordará durante décadas. Ha elegido esa fortaleza también porque su comandante fue durante un tiempo su maestro de armas en el palacio de Asura. Sabe que puede contar con su apoyo, y que si tuviera que elegir entre seguirle a él o ponerse del lado de Edan, se decantaría por él.

Cuando le escucho, llego a convencerme de que podemos lograrlo. Al fin y al cabo, es cierto lo que Kadar dice sobre mi relación con los malditos. Aceptaron el liderazgo de Ode porque él los entiende, porque hasta cierto punto es como ellos. Pero yo también puedo entenderlos; de hecho, puedo entenderlos mucho mejor que Ode, porque comprendo mejor la complejidad de este país. Y además, mis poderes son muy superiores a los suyos.

Quizá la idea de fundar esa nueva orden de las aguas sagradas, los Elegidos de las Aguas, no sea tan descabellada, después de todo. Es asombroso que Kadar haya sido capaz de fraguar una estrategia tan brillante cuando todos, yo la primera, le creíamos acabado.

El problema es que el éxito de su plan depende de muchos factores que escapan a su control. En primer lugar, depende de que podamos salir de Orestia sin obstáculos. Y cada hora que pasa lo veo más difícil, porque Ode se encuentra ya muy cerca de nuestras costas. Pronto estará aquí... y yo no puedo hacer nada para impedirlo.

¿O sí?

Si utilizo mi don, si ahora mismo me sumerjo en el mar y me someto a una conversión total, podría transmitir mi voluntad a las aguas. Pienso en todas las posibilidades: olas gigantes que hagan irse a pique a los barcos, corrientes que los arrastren hasta los arrecifes, donde las rocas les destrozarían el casco, o muros de agua que se derrumbarían sobre las cubiertas, y ahogarían a todos los hombres. Cualquiera de esas opciones me serviría para enviar a Ode al fondo del mar.

Lo que sucede es que tampoco quiero hacer esto. Él está aquí por mí. Su objetivo es rescatarme. Y es un hidrio, como yo.

No puedo provocar la muerte de mi gente solo porque el rey haya cambiado en los últimos tiempos. Ellos no lo saben. No tienen por qué saberlo.

Vienen a Orestia a hacer lo que creen que es correcto...

Y a su manera, confío en que lo harán. Aunque no pienso quedarme aquí para comprobarlo.

* * *

Son las dos de la madrugada. Los barcos de Ode están anclados en una pequeña bahía al norte de la isla. Lo he visto en un sueño.

Me levanto sigilosamente y recorro en silencio los pasillos que me separan de los apartamentos del rey. La luz de la luna ilumina a intervalos las baldosas de mármol blanco y verde. Al pasar por delante de un balcón, la veo en el cielo, redonda y blanca. Y veo su reflejo tembloroso en el mar.

Luna llena...

No nos conviene, pero ha coincidido así. Al menos me he puesto un vestido oscuro. No destacará demasiado bajo sus rayos de plata.

Tengo que despertar al rey y convencerle de que me acompañe. Empezará a hacerme preguntas. Y ni siquiera tengo pensado todavía lo que voy a decirle para justificar mis prisas.

Kadar respira apaciblemente, sumido en un sueño profundo. Le agarro por ambos brazos y le susurro al oído que debe levantarse.

Se incorpora sobresaltado, me mira como si fuese una aparición.

Al reconocerme, su rostro se relaja enseguida.

—Kira. Qué susto me has dado.

—Debemos irnos ahora. Ahora mismo —le susurro.

Él mira a su alrededor, sin comprender.

—¿Ahora? ¿En plena noche?

—Dijiste que deberíamos partir en secreto. Pues ahora es el mejor momento para hacerlo —insisto, tirando de él hasta sacarlo de la cama.

Comienza a vestirse, aturdido aún.

—¿Es que hay novedades? —pregunta—. Kira, si sabes algo, debes decírmelo.

—He tenido una visión —le confieso—. A veces las tengo. Si no subimos al barco esta noche, nunca llegaremos a Talloc.

—Hablas como un oráculo...

—Debes hacerme caso. Por favor, te lo ruego.

Curiosamente, me obedece. Termina de vestirse y me sigue sin hacer preguntas. Pero en cuanto salimos al jardín de palacio, es él quien toma la iniciativa.

—Por aquí —me indica—. Esa es la puerta de las bodegas. Desde ahí parte un túnel que va directamente a una cueva de la cala oriental. Espero que el barco esté listo.

—¿Y la tripulación?

—Se supone que ya estarán a bordo, preparando el viaje. Pero quizá falten algunos —me agarra de un brazo y me mira a los ojos—. Kira, no será una trampa...

Mi expresión le hace avergonzarse de haber dudado.

—Perdona. Nunca aprenderé. Pero lo intento. Es que todo es tan precipitado...

Oímos pasos y voces en una de las escaleras superiores de palacio. Le hago un signo para que se calle.

Caminando de puntillas para no hacer ruido, bajamos al segundo piso de la bodega. La luz de la luna se filtra por unos ventanucos justo por debajo de la bóveda, pero Kadar enciende una lámpara de aceite que toma de un estante.

—La necesitaremos en el túnel —me explica en un susurro.

Unos instantes después, estamos descendiendo por un corredor estrecho y húmedo. Bajo nuestros pies el suelo es de barro. Me recojo lo mejor que puedo los bajos de mi vestido para que no se ensucie. Un vestido embarrado pesa horriblemente, y quién sabe cuándo volveré a tener la oportunidad de cambiarme de ropa.

Avanzamos en silencio durante largo rato. En el exiguo espacio del túnel, el humo de la lámpara me irrita la garganta, y por momentos tengo la sensación de que voy a asfixiarme. Sin embargo, me trago mis quejas. Kadar me da la mano allí donde hay escaleras o una pendiente pronunciada. Me he resbalado un par de veces, pero por fortuna no he llegado a caerme.

¿Quién excavaría esta galería interminable? Debía de tener motivos muy poderosos; o quizá no fue su decisión, sino la de otros... Sí, seguramente un trabajo tan duro sería obra de esclavos o de prisioneros.

Prefiero no preguntarle a Kadar sobre el asunto. En realidad, no estoy segura de querer conocer la respuesta.

Poco a poco, a medida que avanzamos, el aire se va volviendo más fresco. Una corriente de brisa se me enreda en el pelo, y casi al mismo tiempo capto un débil resplandor frente a mí. Kadar apaga la lámpara. Desde ese punto caminamos a tientas, guiándonos por el reflejo de la luna al final del túnel.

Cuando llegamos a la gruta, se me escapa un suspiro de satisfacción.

La cala es una balsa de aguas quietas y transparentes que reflejan los rayos lunares. Un magnífico velero se balancea con suavidad en el centro de la bahía. Tiene las velas recogidas, pero hay una luz temblorosa en cubierta.

En la playa descubro los bultos tendidos de unos hombres. Están durmiendo. Kadar los despierta sin miramientos.

—Vamos, holgazanes. Zarpamos ahora mismo. Meted el bote en el agua. ¡Deprisa!

Los hombres se desperezan, gruñen, se ponen a gritarse unos a otros. A pesar de la brusquedad del rey, no parecen descontentos.

En unos instantes estamos todos en el bote. Desde el barco ya nos han visto. El rey en persona contesta cuando le piden el santo y seña.

Pienso, sonriendo, que esta va a ser mi primera travesía como mujer libre. Y casi me siento feliz, a pesar de la incertidumbre. Sea lo que sea lo que me espera, estoy segura de que será mejor que en las dos ocasiones anteriores. Porque ahora, por primera vez en mucho tiempo, me siento dueña de mi propio destino.

Subir al barco es más complicado de lo que suponía. Suspendida entre el cielo y el mar, con los pies y las manos enganchados en una escala de cuerda, miro por un momento hacia las masas negras de los acantilados. Y más allá...

¿Qué es ese resplandor anaranjado, a lo lejos?

Kadar también lo ha visto. Cuando por fin consigo encaramarme a la cubierta con su ayuda, me doy cuenta de que no me está mirando a mí. Sus ojos permanecen fijos en ese resplandor.

—¿Qué ocurre? —le pregunto, siguiendo la dirección de su mirada.

—El palacio —responde sin dudarlo—. Un incendio.

Sus ojos se clavan en los míos. Me estudian con tristeza.

—Tú lo sabías, ¿verdad? —murmura—. Por eso me has despertado.

—Sí... Pero, aunque te hubiera advertido, tú no podías hacer nada. Era imposible evitarlo.

Me mira con una expresión distante, como si de pronto no me conociera.

—Un rey es como un capitán de barco, Kira. Su suerte está ligada a la de su navío. No abandona a los suyos cuando están a punto de hundirse.

—Pero ahora ya no puedes hacer nada, Kadar. Si vuelves, te matarán. Sería inútil...

—No importa que sea inútil. Es lo que debo hacer. Tú no me esperes, sería absurdo. Daré órdenes a los hombres para que te lleven adonde desees. Buena suerte, Kira.

—No. Si tú regresas, yo también —replico con voz temblorosa.

Nuestros ojos se encuentran. Nunca nos habíamos dicho tantas cosas con una sola mirada.

—¿Estás segura? —me pregunta.

No hace falta que le conteste. Su sonrisa me demuestra que ya conoce la respuesta.

CAPÍTULO 34

Kadar avanza a través del túnel sin mirar atrás, corriendo en aquellos tramos donde se puede correr, y yo trato de seguirle tan deprisa como me lo permiten mis piernas. De vez en cuando oímos algún grito lejano procedente de la superficie, y en un momento dado sentimos el retumbar de los cascos de un caballo justo encima de nuestras cabezas.

El miedo hace que todo me parezca irreal; avanzo sin sentir mi propio peso, igual que en un sueño.

Hasta que el túnel se empieza a llenar de humo... Entonces el sueño se convierte en pesadilla. Parece que por fin hemos llegado al palacio.

Un resplandor tembloroso ilumina la estrecha galería desde arriba. El incendio.

—Tápate la boca con la capa, Kira —me grita Kadar—. Ven, dame la mano...

Salimos al infierno de la bodega en llamas. Una viga ardiendo se desprende del techo casi en el mismo instante. Si Kadar no hubiese saltado hacia atrás, le habría aplastado. Los dos nos ponemos a toser convulsivamente. La protección de la tela no impide que el humo se cuele en nuestros pulmones.

Casi sin proponérmelo, invoco el vínculo invisible que me une a las aguas.

Soy la Reina de Cristal. Mi voluntad consigue cambiar el sentido de las corrientes, torcer el curso de los ríos y de las aguas subterráneas. Las microscópicas partículas de vapor que flotan en la bodega se condensan cuando las llamo, y empieza a llover bajo las vigas incendiadas.

Al mismo tiempo, un tumulto de aguas ocultas en las entrañas de las rocas inicia su ascenso.

Kadar y yo no nos detenemos a esperarlas. Atravesamos corriendo la bodega, sorteamos los barriles en llamas y alcanzamos las escaleras. Salimos a la superficie y nos dejamos caer en la tierra, exhaustos.

Estoy a punto de perder la consciencia. El humo ha debido de intoxicarme...

Kadar tira de mí, y me pongo en pie. Avanzo a trompicones hacia la fachada trasera del palacio, que también está ardiendo en algunos puntos. Invoco una vez más al agua de la atmósfera, a la de los acuíferos que duermen bajo el suelo de piedra. Sé que antes o después acudirán a mi llamada. Extinguirán el fuego.

Si solo fuese eso, un fuego...

Sin embargo, el incendio no es más que el rastro que van dejando los invasores. Y no es el único: hay otro más sangriento. En nuestra carrera a través del jardín ya nos hemos tropezado con dos cadáveres.

Uno era el de la joven hija de Sir Rostach. Tenía una brutal herida en la cabeza y los ojos vidriosos. Nunca olvidaré su trenza rubia empapada de sangre.

Esto es lo que hacen las guerras. Llevarse por delante a gente inocente como esa pobre muchacha. Ninguna causa puede justificar una atrocidad así. Jamás, jamás perdonaré a Ode.

La rabia me impulsa hacia delante, me hace olvidar el cansancio y el miedo. ¿Dónde está? Quiero verle la cara, quiero que me mire a los ojos y me explique por qué. Por qué tienen que morir muchachas inocentes, niños, ancianos, gentes que nada tienen que ver con las luchas de poder entre los hidrios y los decios. ¿Qué es tan importante como para que merezca la pena toda esta destrucción? Quiero oírlo de sus labios.

Dentro del palacio todo son llantos, gritos, llamadas de socorro. Pasa un lacayo herido junto a nosotros, sin mirarnos. Hay otros dos hombres tirados en el suelo al pie de las escaleras, muertos. Uno tiene un puñal clavado en un ojo.

Subimos las escaleras. Una mujer que baja a la carrera se cruza con nosotros, nos contempla un instante con ojos desencajados.

—Majestad... Nos dijeron que habíais huido...

—¿Dónde están? —pregunta Kadar, agarrándola por un brazo—. ¿Quién está al mando?

—Están por todas partes. Buscan a la reina, señor —añade, mirándome.

Kadar la deja ir, y nosotros seguimos subiendo.

Cuando llegamos arriba, nos dirigimos a mis aposentos, en el ala derecha del edificio. Las cortinas de la sala de música están ardiendo. Hay sillas rotas en el suelo, mesas volcadas, estatuillas de porcelana hechas pedazos.

Al fondo del corredor, donde se encuentra mi dormitorio, oigo voces, y entre ellas reconozco la voz de Ode.

—Volvamos —ordena—. Al otro lado...

Él y otros tres hombres vienen hacia nosotros a la carrera. Se detienen al vernos. Todos llevan espadas.

Kadar, en cambio, se encuentra desarmado.

Pero eso no le impide lanzarse rugiendo como un león furioso contra uno de los hombres. Su movimiento es tan rápido e imprevisto, que pilla al otro por sorpresa, y en un instante consigue arrebatarle la espada.

Antes de que los demás puedan reaccionar, se la ha clavado en el pecho, casi hasta la empuñadura. El hombre cae hacia delante como un muñeco de cartón.

Los otros dos se han lanzado contra Kadar, pero él es muy rápido. Para un golpe con su espada, se revuelve y ataca al segundo adversario. Intercambian varias estocadas, mientras Ode y yo nos miramos en la penumbra del corredor, iluminado tan solo por el resplandor lejano de las llamas.

—Detenlos —le suplico—. Ode, tienes que parar esto.

—¿Quieres que le perdone la vida? —pregunta él, asombrado.

En el mismo momento, otro de sus guerreros cae al suelo con un gruñido de dolor. Kadar también está herido, tiene un tajo en el hombro que sangra abundantemente.

El tercer hombre se ha retirado un par de pasos, jadeante, a la espera. Kadar le ignora. Solo mira a Ode.

—Vas a pagar por esto —murmura, un segundo antes de lanzarse sobre él.

Ode se tambalea por la violencia de la acometida, pero ha logrado cruzar su espada a tiempo para detener la de Kadar. Cuando intenta devolverle el golpe, el rey le esquiva y arremete de nuevo contra él. Ode se aparta, pero la espada llega a rozarle el brazo.

El guerrero que queda en pie se acerca a Kadar por detrás, con la espada en alto.

—No —ordeno yo, sin gritar—. Por el poder de las aguas, detente.

El hombre me observa perplejo. Algo en mi expresión ha debido de asustarle, porque arroja la espada al suelo y huye corriendo.

Debo acabar con esto, detener esta locura. Ode tiene que escucharme.

Pero cuando corro a interponerme entre el rey y Ode, compruebo que ya es demasiado tarde.

Kadar cae de rodillas.

Se tapa con las dos manos una herida en el vientre, que sangra a borbotones.

Sus ojos claros y salvajes se clavan en mi rostro, extrañamente serenos. Una sonrisa se abre paso entre sus labios crispados.

—Buena suerte, Kira —dice.

Lo dice con firmeza, como si se estuviese despidiendo de mí antes de emprender un viaje que él mismo ha elegido.

Quizá ha sido así.

* * *

Estamos en algún lugar en el jardín de invierno. No sé muy bien cómo he venido a parar aquí.

Creo que no llegué a perder del todo la consciencia. Caí de rodillas junto al cadáver del rey, aturdida. En algún momento pensé que yo también iba a morir.

Pero no quieren que muera.

Podía oír la voz de Ode, una voz familiar y al mismo tiempo extraña para mí. No reconocía aquel tono imperioso, de alguien acostumbrado a dar órdenes. Ode no era así antes.

Allí, en el suelo, de pronto me encontré llorando por el antiguo Ode, aquel muchacho risueño y soñador al que conocí en Argasi. De alguna manera, él también está muerto, lo mismo que Kadar. El hombre que ha sembrado tanta destrucción a nuestro alrededor no tiene nada que ver con mi joven amigo de Argasi.

Lloré por el rey. Por su terquedad, por su locura. Por todo el daño que me hizo, y por la forma en que aquel daño terminó volviéndose contra él, transformándolo en un hombre distinto.

Y lloré por Hydra.

Y por Decia.

Por la escasez y los campos sedientos, por los errores de los hombres, por la despiadada indiferencia del mar hacia su sufrimiento.

Sobre todo, lloré por mí.

No estaba asustada, el miedo se había disuelto hacía tiempo. No temía lo que pudieran hacerme... Me dolía volver a estar sola. Sola entre desconocidos que no me dejarían en paz, que intentarían, como hacían todos, utilizarme como un arma de guerra.

Me han separado del cadáver de Kadar y me he dejado arrastrar al jardín como una marioneta sin vida. Una fina lluvia cae sobre los tejos y los rododendros en flor. La luna se ha ocultado, pero su resplandor aún se filtra a través de la gruesa capa de nubes, convirtiendo la lluvia en plata. Es hermoso.

Siento una mano nudosa y helada sobre la mía. La mano de Ode.

—Deberías dormir un poco —dice—. Mañana será un día muy largo.

—¿Qué vais a hacer conmigo? —pregunto.

Por primera vez desde que Kadar murió me obligo a mirarle a la cara. Sigue teniendo el mismo rostro agradable e inteligente de siempre. Como si fuese aún el muchacho de Argasi, el hijo de Hader, y no el fanático despiadado al que acabo de ver en acción hace apenas un momento.

—Eres la reina —dice, sonriéndome—. No hace falta que hagamos nada, las leyes decias son muy claras al respecto. Tras la muerte del rey, y en ausencia de otros herederos directos, su cónyuge hereda el trono.

—Ode, eso no tiene sentido. Ni siquiera es mi país. Los decios no me aceptarán. Tienes que llevarme a Hydra...

—No. Ahora eres la reina. La reina hidria de un país que

hemos conquistado para ti, y que tú gobernarás en nombre de nuestro pueblo. Lo que sientan los decios cuando te vean sentada en su trono no me importa ni lo más mínimo, Kira. Hemos ganado la guerra, y los vencedores son los que escriben la historia. ¿A quién le importa lo que sientan los vencidos? Dentro de unos años, ni siquiera ellos mismos lo recordarán.

EPÍLOGO

Han pasado tres semanas desde la muerte del rey. Esta mañana se ha celebrado en Asura mi coronación oficial.

Las revueltas han terminado. La noticia de la muerte de Kadar acabó con los focos de rebelión de la noche a la mañana. Nadie esperaba un desenlace así, ni siquiera los malditos. Creo que hasta la toma del palacio de Orestia no se habían dado cuenta de que su revolución estaba siendo utilizada por los hidrios para ganar su propia guerra.

No va a ser fácil gobernar este país. Ode se mantiene en un discreto segundo plano para no irritar a los decios, pero siempre está ahí, detrás de mí, dictando lo que debe hacerse en cada momento, vigilando los movimientos de todas las facciones y los grupos en la corte. A veces escucha mis sugerencias, pero no pierde ocasión de recordarme que es él quien me ha situado donde estoy.

Al menos, ha tenido la deferencia de escucharme cuando exigí que se declarase una semana de luto oficial en el país por la muerte de Kadar. Imagino que muchos lo han visto como un gesto hipócrita. No me importa. Kadar se merecía que su país lo recordara como el gran rey que fue, a pesar de sus errores.

Solo los que estaban aquella noche en el palacio de Orestia saben lo que sucedió, y Ode se ha encargado de comprar su silencio o de amenazarles para que no hablen. Los nobles que se rebelaron murieron allí mismo. Los que se rindieron no tienen demasiado interés en que se sepa la verdad. El resto del país cree que el palacio fue incendiado por una banda de malditos, que el rey se enfrentó a ellos y que murió como un héroe. Al menos, fingen que lo creen.

A estas alturas la mayoría ya conoce el origen hidrio de la guardia que escolta a todas partes a su reina. Supongo que piensan que soy yo la que los ha hecho venir desde mi país.

Todo es una farsa.

Durante la ceremonia de mi coronación, los sacerdotes que presidieron el ritual tuvieron que consultar un viejo libro de protocolo que Ode encontró en el palacio de Argasi, porque no sabían cómo debían proceder. Ellos también son hidrios. Al parecer, no ha sido posible encontrar a ningún sacerdote decio que acceda a celebrar el ritual.

Ningún miembro de la familia real estaba presente.

Dicen que Edan se ha retirado a las montañas del norte y que desde allí está organizando la resistencia. Nadie habla de ello en mi presencia, por supuesto. Pero el palacio de Asura es grande, y su personal, difícil de controlar. No resulta complicado colarse en las cocinas o en las habitaciones de costura y esconderse allí un rato para escuchar lo que se rumorea.

Después de la coronación ha habido un desfile. Le rogué a Ode que prescindiésemos de esa parte de la ceremonia, pero no quiso ni oír hablar de ello. Quería que toda Asura saliese a las calles para contemplar a su nueva reina.

La mayoría ni siquiera conocía mi aspecto. Nunca me habían visto. Lo que sí saben todos es que llegué a este país como una prisionera, y que soy una hidria con extraños poderes mágicos.

La Reina de Cristal es ahora la Reina Bruja. Por lo visto, así es como me llaman. No a la cara, por supuesto. Solo cuando creen que yo no puedo oírlos.

De todas formas, no hace falta que lo digan en voz alta. Leo el odio en sus ojos. Hoy, durante el desfile, todo era perfecto en apariencia. Yo iba en un carruaje abierto tirado por seis caballos, y a mi paso los niños levantaban arcos de flores blancas. Pero los adultos callaban. Me miraban como si yo no fuera humana, como si estuviesen contemplando a una criatura legendaria que no merece siquiera la compasión que cualquier persona puede llegar a sentir hacia sus semejantes.

Nunca me aceptarán, aunque de momento no se rebelen.

Nunca me adorarán como adoraban a Kadar.

En sus miradas veo lo mucho que me temen... y no se puede amar a alguien que te da miedo. Eso lo sé muy bien.

Aun así, anhelo hacer algo por este país. Si Ode y las damas del Triunvirato creen que mi papel aquí va a limitarse a explotar a los decios en beneficio de Hydra, se van a encontrar con una sorpresa.

En cualquier caso, aún es pronto para pensar en eso. Por el momento tengo asuntos más urgentes que atender.

* * *

Al final del desfile, justo antes del banquete que debía poner fin a la fiesta de la coronación, Elia vino a avisarme de que tenía una visita.

Dejé que me guiara hasta el almacén de harina, en la parte trasera del ala este del palacio, muy lejos del salón de recepciones. Lo bueno de ser la reina es que nadie, ni siquiera Ode, puede controlar mis idas y venidas como antes. Cuando yo doy una orden tienen que obedecer, y cuando dejo claro que no quiero ser molestada, nadie se atreve a cuestionar mis instrucciones. De esa manera, logré escabullirme con Elia en plena fiesta sin que nadie me siguiera.

El corazón me latía con violencia cuando abrí la puerta del almacén. No sé a quién esperaba encontrarme...

Desde luego, no a Moira.

La princesa estaba sentada sobre unos sacos de harina. Su vestido de brocado verde se encontraba sucio y deshilachado en la parte baja, y sus cabellos cobrizos, recogidos en una trenza, habían perdido su antiguo brillo.

Corrí a abrazarla. Ella no me lo impidió, aunque permaneció rígida entre mis brazos, igual que una muñeca.

Me arrodillé en el suelo manchado de harina, junto a ella. Así podía ver mejor su rostro.

—Moira, qué alegría. Voy a ordenar que preparen tus habitaciones. He tenido mucho miedo por ti...

—No te molestes, no voy a quedarme. Tan solo he venido a traer un mensaje.

Sentí que se me formaba un nudo en la garganta.

—Esta es tu casa, Moira. La casa de tus antepasados. Aquí es donde debes estar.

—Y así será, antes o después. Pero no mientras una usurpadora ocupe el trono de Decia.

Sus palabras me hicieron tanto daño como si me hubiese golpeado. Más, mucho más.

—No..., no soy una usurpadora —balbuceé—. Kadar decidió convertirme en su esposa, y las leyes de Decia exigen que, a su muerte... Él habría querido que ocupase su lugar.

—Él no estaría muerto de no ser por ti. Lo embrujaste, lo volviste loco. Podría haber aplastado la rebelión si hubiera querido, pero era como si un hechizo pesase sobre él. Se quedó paralizado... y tú aprovechaste su debilidad para llamar a tus amigos hidrios y ordenarles que remataran el trabajo.

—¡Eso es mentira, Moira! Yo no quería la muerte de tu hermano. Intenté impedirla.

—No te molestes, a mí no vas a engañarme. Ni a Edan tampoco... Suerte que él no se dejó embrujar por ti como Kadar.

—¿Dónde está? ¿Está bien? Moira, deseo arreglar las cosas entre nosotros. Quiero la paz para Decia. Tendríamos que reunirnos, sellar nuestra alianza delante del pueblo...

—Eso no va a pasar. Precisamente estoy aquí para darte un mensaje en su nombre. Y el mensaje es que no habrá paz para ti ni para los tuyos mientras ocupes un trono que no te corresponde. Si quieres la paz, abdica, Kira. Reconoce que eres una usurpadora y márchate para siempre de Decia.

La miré a los ojos. Si ella podía mostrarse tan dura, yo también.

—Eso sería peor para el país. Así que no voy a hacerlo.

—Como si a ti te importase este país. Nos has utilizado. Nos has utilizado a todos...

—No. Vosotros me habéis utilizado a mí. O lo habéis intentado, al menos. Pero eso se acabó para siempre, Moira. Dile a Edan que, si quiere la paz, encontrará mi mano tendida. Y si quiere guerra..., habrá guerra.

Moira suspiró.

—Ahora debo irme. Mi gente está esperándome fuera. Si quieres, puedes mandar apresarlos. Y a mí también. No me importa que lo hagas. En realidad casi lo preferiría, ¿sabes? El pueblo se pondría en contra de ti, y eso ayudaría a Edan.

—No voy a apresarte. Pero sí es mejor que te vayas de aquí cuanto antes, Moira. Si no quieres aceptar mi hospitalidad...

—Ya. No todos los hidrios son tan compasivos como tú, ¿eh? Ode, por ejemplo... Si me encuentra aquí, seguramente tu plan de dejarme escapar no le gustará. Sería interesante, ¿no te parece? Que Ode me encontrara... Así comprobaríamos quién manda en Decia en realidad, si tú o él.

—Llamaré a tu gente. Adiós, Moira.

Me quedé en el almacén hasta que se la llevaron. Dos hombres vestidos de mozos de cuadra la cubrieron con telas y la cargaron como un saco más. Una forma muy poco digna de abandonar el palacio para una princesa.

Mientras yo regresaba al salón de recepciones, no podía dejar de pensar en sus últimas palabras. Ni siquiera yo conozco la respuesta a lo que ella me preguntó: ¿quién manda en Decia en realidad, Ode o yo?

Lo cierto es que, en estas tres semanas, no he hecho más que obedecer las órdenes de Ode.

Sin embargo, las cosas van a cambiar a partir de hoy. Porque desde esta mañana, soy la reina. No la consorte desconocida del rey, sino la soberana legítima de un gran país. Lo que significa que tengo acceso a todos los resortes del poder.

Y además, no soy solo la reina de Decia. Soy también la Reina de Cristal.

No sé si Ode se da cuenta de lo que eso significa. Tengo un reino. Tengo un ejército, el suyo. Y tengo un don con el que puedo llegar a controlarlo.

Soy demasiado poderosa para dejarme utilizar.

De ahora en adelante, nadie va a dictarme lo que debo hacer. Soy la reina... y nadie, nunca, volverá a elegir por mí.

A partir de este momento, yo decido mi destino.